一分钟的你自己

One Minute Yourself

〔美〕斯宾塞·约翰逊

王岩 译、

老鼠名言

目前，你面临着人生最大的冒险……

可惜我只是一只弱小的鼠辈，不然这个世界将属于我。

你是不是一只老鼠？你千万别告诉我你不会挖洞啊！

我想你上一辈子一定是个人吧！

我们已经鼠目寸光了，鼻子再不管用，实在是只有等死了。

知道真相就意味着面临怎样的挑战。

怎么办？我们是老鼠，他是猫。我们能怎样！

献给我的女儿　琳达

　　是她对小老鼠这个可爱的小动物的狂热热爱，使我产生了本书的灵感。

　　这本书得以在全世界流传。

目 录

CONTENTS

前　言

本书实在不可思议。

在美国，将这一类型的书归类为寓言体自我成长书或是灵感书，尤其令人惊讶的是，在讲究物质文明的美国，这类书籍非常丰富。本书作者斯宾塞先生也曾经撰写过多本自我成长书，在他众多著作中，尤其以本书最为出色。不，应该说是美国的自我成长书籍中的杰作。

他所受的教育及工作经历包括：南加州大学心理学学士、皇家医学院医学博士、哈佛大学医学院及 Mayo 诊所的医生。

他是许多最畅销书的著作者或合著者。他的《谁动了我的奶酪？》，是如何应对变化的极好方法。《一分钟的你自己》在全世界的销量甚至超过了《谁动了我的奶酪？》。在本书中，作者主张，"我做得到"短短四个字就可以完全改变你的人生。扫除长年积郁在心头的疑惑和烦闷，为你带来成功和内心的平和，为你带来做梦都没有想到的一切，人生不再有任何不安，因为，本书将为你开拓全新的人生。

本书是唤醒你的积极性思考积极性行动的钥匙。斯宾塞博士将告诉你，这一切是多么轻而易举。

· 本书可以开拓你的富裕和幸福。

· 本书可以让你从人生中获得你想要的。

· 本书将让你下定决心要站上高峰，享受真正的人生。

· 本书让你理解，你的力量和知识的贮藏库一天二十四小时为你工作。

· 本书可以扫除所有不安和烦闷。

· 本书可以将你从从属地位引导向领导者的地位。

· 本书将告诉你达到自己所设定的所有目标的方法。

· 本书将让你了解增加记忆力易如反掌。

· 本书将使你受欢迎。

· 本书可以让你永保年轻。

· 本书将让你找到结婚的幸福所在。

为了使本书能够真正对你有所帮助，必须遵守特别的阅读方法。

正如作者在本书中再三强调的，首先，你必须边阅读，边思考。第二，不要只读一次就完成，必须反复阅读。第三，必须将所读到的内容付诸实现。只有执行本书所介绍的知识，才能真正发挥作用。

希望与本书有缘的各位读者能够通读本书二、三次，真正掌握本书所提供的"黄金的钥匙"。

——肯尼思·布兰查德

第一章　鼠目寸光

从早上到中午，天空一如昨晚的预报一样好得令人厌烦。当然，这不是每个人都会有的感受，除了麦克·伦特这样的倒霉鬼。一个按部就班，谨小慎微的公司职员，一个将面临卷铺走人的准失业者——麦克·伦特。天啊! 还有比这更糟的吗?将懦弱卑微的麦克抛离他已习惯十几年的平静港湾，让他去大海里洗个澡，没人会相信他会活着回来。麦克同样不认为自己可以面对这一切。他在晴朗的天空下，在匆匆的人群中他麻木地走着、想着。

人们老是责怪上帝的无情，把我们逼上绝路。实际上那个上帝最无耻的花招却是会给你很多选择，而不是绝路一条。因而，选择成了人类最繁重的劳动，也成了上帝嘲笑人类的最好机会。老麦克小心了，上帝的圈套已摆在你面前了!唉……无论下面将发生什么稀奇古怪的事情你都不会在一开始就知道，因为我们的麦克走进那家"黑巫师"命运驿站……

BB正在一本书后打盹，阳光实在太好了，它时常打扰BB的美梦。这使得BB只好不断挪窝以躲开阳光。你也许奇怪，一个大白天的睡客为什么躲避阳光?也许这是一个问题，但

BB 肯定会说:"你烦不烦,个人隐私!"其实你看一眼BB,这个隐私就一目了然了,其实他……咚!谁在敲门?噢!不,一只小

老鼠从天而降,砸在BB的书旁。BB恼怒地盯着对方,他的胡子也有些上翘,"哥们,这是我的地方,自从我进来后,还没有一只老鼠来过!"

"我十分抱歉,不过来这也不是我的决定。"那只老鼠一副可怜巴巴的样子。"噢你会说话!"BB这次有了点喜色,"你难道来这里是有使命的吗?""是啊!你怎么知道?"那只老鼠这才畏首畏尾地抬起头来。

"我是BB,我当然知道。这就是我向秃头要的助手,这个混蛋现在才派人来,还是你这样一个看上去不中用的家伙。"

"噢,你就是BB,我是DD。"这位DD对BB的牢骚似乎不大在意。

"了胜于无,那本书我已找到了好几章了,不过迷宫越来越难走了,你来了反正不是件坏事,至少可以有人听我讲演了。"

"噢,BB 先生,我们什么时候开始工作?"

"工作?DD 先生!这里我说了算,现在我们睡觉,工作的事晚上再说。"

"睡觉?现在?"DD望了望窗外的阳光。

"难道你不是只老鼠?老鼠白天休息,晚上工作你不知道吗?宝贝。"BB一脸的不屑。

"噢,可我还有点不适应。"DD有点泄气。

"好了,好了,那里有几章我找到的书稿,你如果睡不着可以去翻翻,了解一下我们在找个什么鬼东西,但千万别打扰我,晚安,噢真够别扭的。"

你读到这里也应该明白了,BB也是一只老鼠,不过他可不是一只平凡的老鼠噢!他是一只负有使命的老鼠。

DD按BB的方向爬过书堆,爬上书架。(噢,对不起我一直忘了告诉各位,这是一间巨大的书房。)总之,累了个半死DD才来到那本书前。

所谓的书,其实只是一支夹子,没有书名,里面夹着一些散页。DD整理了一下,终于找到了开头。

章名：了解自己

目前,你正面临着人生最大的冒险。如果——没错,如果你能够没有任何成见,不抱有任何疑惑和偏见阅读本章的话——而且,能够在阅读的同时,充分思考。

现阶段,我既不希望你认同我的意见,也不要求你反驳我。

当年,已故的约翰·瓦伦梅克(John Wanamaker)会被众人

One Minute Yourself

称为商业王，他从来不拒绝上门推销的推销员。他认为可以从推销员那里了解市场上不断发生的新事物，同时，他认为"我不想要的东西，也不等于别人不想要"。我希望各位读者也能抱有这种态度来阅读本书中的内容。即使结果能够令你产生热忱、激发灵感、找到幸福、获得成功，这一切都必须归功于你自己——你之所以会接受这些原则，一定有你自己的理由，绝不会是因为别人强迫的要求。

自己内在的力量

拉塞尔·康威尔在举世闻名的《钻石土地》这本书中，以众多实例证明了人类往往会舍近求远地追求明明自己已经拥有的东西。其实，能够为我们带来领导力、自制心、健康和幸福的力量亦是如此。

优秀的领导者之所以能够保持自己的地位，就因为他们内部蕴藏着这种力量。你之所以能够高高在上，就是因为你充分运用了自己的力量的结果。

你和自己共同生活了那么多年，但你却没有了解真正的自己。

有百分之九十五的开车族对"躲在"车盖下的构造一知半解，但照样开车上路。他们只知道只要有油和汽油，只要操纵按钮、踏板和方向

盘，就能让车子动起来。然而，懂得车子内复杂的机械构造的人，却可以更有效地操控车子。可以在使用相同数量汽油的情况下，让车子开更长的路程，也懂得如何增加轮胎的使用寿命。即使其他相同年份的车子已经破旧，已经不堪使用，但自己的车子却还保持"安好无恙"。

大部分人只懂得吃吃、喝喝、睡觉，渡过自己的一生。但是，如果我们能够进一步了解人类这种机械——尤其是控制人类的精神——的话，一定可以到达无限的巅峰。

太美妙了的思考方式

以前，我曾造访一家美国最优秀的研究所。每间研究室内，化学药品琳琅满目。在其他房间内，堆满了科学机械。当一位科学家向我说明这些道具的用途时，不禁令我惊讶得张口结舌。结束参观时，我情不自禁地连声感叹，那位科学家如此说道，"这些都是世界最先进的科学家们努力的结晶，然而，即使有这么棒的实验装置，都无法与人体内的研究所相提并论。"他又继续说道，"眼下这一刻，你身体内的研究所正消化着你午餐所吃的食物，忙着从中摄取血液、骨骼和组织所需要的营养。世界上任何一家研究所都不具备能够完成如此复杂的工作的技术和机械。"

在摄影领域，出现了一种新的照相机，只需一分钟，就可以将拍摄对象物体立刻显像出来，印在相纸上，为摄影领域开辟了新的纪元。相信你一定会发出"太棒了"的赞叹的声音。但是，回想一下我们头脑中所具备的"人体照相机"。只要稍微瞥一下对象物体，就可以立刻将影像传入大脑。

我们经常惊叹录音技术的发达。如今，已经可以运用电子技

术将声音收录在铁片、铁丝和录音带上。但是，这——虽然是令人倍感兴趣、富有价值的技术——却根本无法与人类体内的录音机构同日而语。人类的耳朵就好像是麦克风，一旦接收到振动性的印象，会立刻收录在大脑的灰白质内，之后，再通过声音再生。

你或许对此有些怀疑，或许会说"对，如果我是心理学家的话，或许可以从中受益"。或许会觉得"如果要学习这一切，不知要花费多少岁月"。其实，这些都是错误的观念。我们日复一日地生活在习惯中，但是，成功、幸福和福利并非来自不懈的辛劳，而是降临在将不良习惯改变为良好习惯之际。本章是开卷的第一章，其目的就是让你略窥一下，能够令人惊叹"太美妙了"的思考方式的凤毛鳞角。

你一定看过别人造房子时，人和机械共同工作的情景。相信你也和我一样，曾亲眼见识到巨大的蒸气铁铲车挥着超越人类的功能。

当铁铲车向下伸展怪手时，巨大的怪手就挖起数百磅的泥土。再轻轻松松地装到等待已久的卡车上。如果有幸去驾驶台上的参观一下，就可以发现，操控者被无数操纵杆包围着。有控制怪手向下伸展的操纵杆，也有控制向前伸的，另外还有向上升起的操纵杆。另一个是操控怪手挥舞，还有操控怪手挖土的部分，使之能够将泥土和石块卸在附近的车子上。看了这一切，的确不得不令人惊叹，怪手仿佛是有生命的物体。然而，在赞叹这一切之前，不妨先思考自己的身体，想一想每当我们准备拿重物而蹲下时，索状组织和肌肉等一系列网络组织就会随之"起舞"。

某天，一位认为自己是世上最贫穷的男子来找我，告诉我他

身上已经没有任何值钱的东西。

刚好那天早晨，我从费城的报纸上看到，一位男子因为一只眼睛丧失视力，所以有人可以提供一只眼睛，他愿意出一万美金购买。于是，我就告诉那个莫名其妙的男子，不妨卖掉自己的一只眼睛。他愤然地拒绝后离去。然而，才几秒钟前，他不是声称自己身上绝对没有任何值钱的东西吗!

人类的精神能力

以上，我以实例说明了人类的肉体部分，以及虽然我们拥有无数的经济资源，却仍然无法事半功倍地发挥身体各部分功能的原因。

现在，进一步讨论一下人类的精神。人类在精神的作用下，才会去做某些事，制造某些机械。例如，我们有可以进行加减乘除的机械，拥有能够机械地完成许多作业的各种自动装置。然而，所有这一切都是精神的产物。当作业的种类发生变化时，就需要其他特别的机械和器具加以辅助，只有人的心灵具备了完成所有事物的能力。

如果能在阅读本书时，同时充分思考，就会慢慢开始体会到原来自己具有如此美妙的身体，认为想要彻底了解自己的身体，一定需要大量的学习和研究。或许你会问"到底该怎么做?"，或是"既然我拥有如此美妙的身体，到底对我有什么帮助?"这是良好的征兆。随着你进一步阅读本书，你会逐渐发现，原来自己已经掌握了可以把握幸福、财富和健康的所有要素。

成功者和失败者

如果你是一个平凡人，你一定曾经羡慕别人拥有你梦寐以求的东西。这或许是一份不错的工作，也可能是独立经营的事业，当然，或者是豪宅或巨额的银行存款。好吧，这一切都给你!但有一个要求，你必须找出非常成功的人与失败者之间的差异。

难道是肉体上的差异?不可能。相信你一定赞同这一点，因为，有太多身体有缺陷的人也获得了成功。

那么，是教育上的差异?或许刚开始时，你会这么认为。进而，你就会发现即使曾经受过良好教育的人也难逃失败的命运，而有些并没有受过任何正规教育的人照样掌握了成功。

随着比较的进行，不妨扪心自问一下，成功者与失败者的真正差别到底在哪里?成功的人具备了哪些失败者所不曾拥有的东西?双方都具有相同的、不可思议的肉体。如果双方都是平凡人，在精神上应该也相去不远。只有一点真正的不同——人生的黄金秘诀。继续阅读此书，你就会了解其中的奥秘。

改变人类际遇的秘密其实很简单

几年前，我和朋友一起前往一家大型男性服装店。因为朋友想买些衣服，在他的邀请下，我也陪同前往。看到那位朋友穿梭在商场内的情景，不由地心生羡慕。他在运动衣的专柜停下了脚步。他环顾一周，指着几种款式，"这件，还有那件也不错，各包三件。"走到毛衣专柜，也选了三、四种款式。在领带的专柜前，又随意地挑着领带，动作俐落地好像在摘花一般，买了好几条价值不下一百美元的领带。接着买了好几打袜子、衬衫。从头到尾没有问过价钱，动作自在得如同只买了二、三包香烟。当时，以我的经济状况，即使想要买一件衬衫，也必须事先和口袋里的钱商量一下。我和他之间简直有着天壤之别，根本无法相信有朝一日，我也能拥有像他一样的能力。

你一定曾经看过将你"唬"得晕头转向的魔术表演。魔术师的一举一动都充满神秘感，不禁令人怀疑魔术师是否真的具有一股神奇的力量，但其实只要公开魔法中的某一部分，就会知道其中的道理很简单，简直是骗三岁小孩子的玩意。

现在，只要我愿意，我也能像我那位朋友那样挥金如土。但是回顾无法做到这一切的当年，发现造成这种改变的原因其实非常简单，以前那种经常必须靠零钱过日子的生活已经变得如梦境般的遥远。

某天，一位刚满二十岁的少女来向我诉苦。她的声音很动听——她也了解自己的歌声很美妙——但她却认为即使自己拥有这种天赋也是浪费。当我们谈到一些著名的歌手时，她一脸沮丧，似乎在明明白白地告诉别人，她认为自己根本不可能会出名。于是，我用你已经在以上的文章中所读到的内容，花费了好几分钟才让她了解她自己。她的脸上慢慢绽放出光芒，终于了解到原来自己与那些自己所羡慕的人之间根本没有任何差别。之后，这位曾经沮丧、失望的女孩子开始在美国各大都市的音乐会舞台上，意气风发地登台演出。

一个问题可以改变自己的人生

你是否曾经夜不成眠？或许不曾有过。然而，曾经有人在失眠的夜晚改变了自己的人生。上床后，他久久无法入睡，因为，他有一笔债即将到期，以当时的经济状况，根本找不到处理的方法。这时，他问了自己一个问题，完全改变了自己的想法，也因此引导他走上安心、满足的灿烂人生。那天，他问了自己这样的问题，"为什么别人可以做到，但要我还清债务却好像比登天还难?"于是, 那天夜晚, 他对自己的心理做了仔细的分析。终于他了解到, 其实, 活在世上的每个人都是平等的, 正如我们在第一章中所阐述的结论。在漫漫长夜中, 他不断将自己身边的成功者与自己加以比较。经由比较后发现, 无论在任何情况下, 那些成功人士并不曾拥有自己所不具备的——然而, 惟一的差异在于有无 "我做得到! " 的意识。

在曙光为云朵绣上金黄色以前, 他已经在意识中掌握了人生的黄金秘诀。失眠的次日清晨, 每每都是疲惫的身躯迎接第二天的来临, 然而, 那天清晨, 他就像是迎接圣诞节早晨的孩子那样充满活力, 朝气蓬勃。那位男士的后续情况如何?一年后, 他收入丰厚, 住在自己设计、建造的房舍内, 每逢假日, 就和家人一同前往欧洲旅行。

在人生路上挫败的原因

在结束这一章以前, 还想介绍一个实例。我在某大学教授创造心理学的课程, 某天, 一位参加课程的学生以几近哀求的口吻问我, 下课后, 是否能够借用几分钟的时间。我答应了。一阵踌躇后, 他终于开口说道, "斯宾塞老师, 我对老师所说的内容深信无疑。也相信只要确实遵循原则, 人生一定能够获得成功。但是, 我却无法做到。"于是我问他, 为什么他做

连我也能成功吗?

我只是一只老鼠, 我也行吗?

不到。他犹豫片刻，似乎对自己的烦恼难以启齿。然后，他注视着我的眼睛，好像在为自己壮胆。最后，如此答道，"我不是善类。我以前做了很多不应该做的事。我不认为自己有资格接受世上美好的事物，我没有接受这种恩惠的权利。那么多规规矩矩的

人还在承受着生活的煎熬，如果让像我这种人遇上好运气，岂不是太不公平?"于是，我问这位年轻男子，如果你能够努力改正自己的错误，万事不是能够朝好的方向发展吗?他立刻回答，"对，老师说的没错。"于是，我又问了他一个问题，"即使世上存在万难，你还是能够利用自己所拥有的资源把握成功，不是吗?"对此，他也只能以肯定的答案回答我。

　　丧失自尊心应该是人们在人生路上遭受挫败的主要原因之一。在他们内心，认为自己和成功、幸福无缘。只有抛弃这种借口，才能够以正确的态度纠正以往所犯下的错误。

 一分钟的你自己

如何阅读本书

　　活用本书后所获得的结果，听起来似乎有点像小说的情节，但却不应该以像翻阅小说般的态度阅读本书。在阅读的同时，你必须充分思考——为了能够正确理解本书，在读完一篇内容后，必须有充分的"休息"时间，以便精神能够充分消化书中

的内容。

可能有人只需花十分钟就已经读完了第一章的内容。但是，我希望大家能够花一小时来阅读最初的章节。放松心情，身体也放松。在光线充足的环境下阅读，以免造成眼睛的负担。然后，按照章节的顺序阅读。在读完第一节后，休息一下，仔细思考其中的内容，彻底体会、理解其中的含意。在阅读书中所举的实例时，应该了解到，你和书中的人物受到相同的祝福。

本书各章都各自有主要课题，必须在彻底吸收这些主要思想后，才可以进一步阅读。

"我一定能够成功!"

在继续阅读以前，不妨趁现在问自己一个问题，"本章的主要课题是什么?"如果你能够认真地评价每一篇文章，就可以发现下一篇文章才是答案所在。"我做得到——我一定能够成功!"在以后的章节中，你将可以了解我为什么要说这一番话，但在你继续阅读第二章前，我希望以下这句话能够深深地刻在你的脑海中。

每次想到这个问题时，就要告诉自己——"我一定能够成功!"早晨起床时，重复念数次，每次一分钟。白天也要念好几次，晚上睡觉前，也要重复念多次。在说这句话时，一定要精神百倍，因为，在这句话中，蕴藏着无穷的乐趣和热忱。

小时候，曾经很想去某个地方，却认为自己根本不可能有机会去。然而，当你知道自己真的可以美梦成真地如愿前往时，一定会兴奋地欢呼起来"我真的能去了耶!"，你还能记起当时的声音吗?在对自己说"我一定能够成功"时，也要充满相同的情感。

我建议你暂且放下此书，相隔二、三天后，再继续阅读第二章。在这二、三天的时间内，必须充满无限的热忱，不断对自己说，"我一定能够成功！"

这点文字对你我来说也就几分钟的事，而DD却是一只被大家嘲笑为鼠目寸光的小老鼠。他整整花了一个下午的时间才读完这些东西，也许因为读得慢，他得到的似乎也比我们多。一只寿命如此短暂的鼠辈，他的一下午肯定顶得上我们好几个月，如果你用好几个月来读这段文字会怎么样，我不知道答案，但我知道现在的DD有点激动。

"做人真好，他们的身体如此伟大，只要他们肯做，没有什么是不可以做到的。唉，可惜我只是一只弱小卑劣的老鼠，不然这个世界将属于我。"

"喂，不会吧！浪费了宝贵的睡眠，你却得出这么一个愚蠢的想法。"BB有气无力的声音从书架底层，翻书越架拖着长长的呵欠爬进DD的耳朵，在他薄薄的耳膜上打了一个喷嚏。

"天哪！你跟那书中盛赞的人类一样具有那些该死的能力，而你却不自知，你的确是一只无用鼠辈。不过还好，你有幸遇到我BB，再无能的家伙到我这儿都将焕发青春。"BB从书堆中钻出，爬上书桌的最高点，一脸傲慢地叫道："夜幕已经降临，伟大的老鼠BB重新复活了。嘿，DD先生赶快滚下来，我们要做的事还多着呢。"

夜幕的确笼住了四周，书房内一片漆黑，但在鼠辈们天生的夜视眼里一切亮如白昼。DD爬下书架来到BB的书堆下，仰视着傲然而立的BB。这种感觉让BB有些陶醉，心中有一种莫名的似曾相识的热流爬过心头。这是什么？BB猛得一怔，不过他很快恢复了平静，这种奇妙的感觉已不是第一次，他恍恍惚惚觉得有许多东西被深深锁在记忆的深处，但这只是一种感觉。

"BB 先生，我们做什么？"

"噢，该死的，不要叫我先生。"BB 为被 DD 打断的思绪恼火不已。

"那，那……"DD 一脸无辜。

"叫老大，我从今天起就是你的老大，一切我说了算。"BB 依旧火气很大。

"好的，老大，我听你的。"

"DD，我是老大，你要发誓对我效忠。"BB 一副得寸进尺的样子。

"发誓？发誓是什么？老大。"DD 一脸茫然。

"我拷！你一定前世是个白痴。"BB 又在发火。今天 BB 发的火特别多。唉，这本来是天气很好的一天。

"我不是故意的，我真的不懂，你可以教我吗？"DD 依旧一副傻里傻气的样子。

"去死吧！连这都要教，我还有功夫干什么？"BB 气恼地背着爪子直绕圈。"对了，这本破书第二章讲的跟这有关。今晚你去读吧，我自己去迷宫，不然你还不知会在迷宫里添多少乱。"BB 说完如释重负地甩下 DD 一头钻进书架后，消失不见了。

DD 傻呆呆地站在原地，他对这一切感到不知是从。他似乎又一次感到了自己的无能。一切似乎也是要证明这是真的。DD 不敢再想了，慌忙跌跌撞撞地爬回书架上，打开那个黑夹子，翻到了第二章。

第二章　一只老鼠的誓言

章名：对自己发誓

"将这一切记录下来!"当两个以上的人缔结重要的生意关系时，会签定契约。契约不仅为了正确记录当事者的义务，更是督促当事者遵守所记录的约定的手段。

和自己的约定

我们可以和自己订立怎样的约定?不妨去律师楼，请律师为你制作一份与自己的契约。律师或许会用怀疑的眼光看着你，或

许会觉得你的要求有点不着边际，然而，让自己受到自我约定的束缚并不是一件坏事。

你曾经有多少次告诉自己明天要做某件事，但到了第二天却根本没有付诸实现的经验?又曾经有几次向自己保证一定要克服、改善某个习惯，但却无法做到的经验?每到新年，就发誓要如何"重新做人"，对此，你又到底持续遵守了多久?

有些人因为错误的生活习惯而影响着身体的健康。他们或许曾经无数次下定决心要改变这种状态。但是，是否付诸实现？通常只在偶尔想到的时候"应付"一下罢了。

为什么无法遵守与自己的约定

我们无法遵守与自己的约定的理由非常显而易见。大部分情况下，任何人都不知道世上有这项约定的存在，而且，即使违约，我们也不会惩罚自己。

我想告诉各位，遵守与自己的约定远比遵守与他人的约定更加重要。因为每个人都必须和自己过一辈子。如果无法如期完成自己想要做的事，就会丧失自尊心。连自己都无法尊敬自己，也根本不会奢望获得他人的尊敬。

我的自我训练

某个周一的晚上，我正准备上床。脱衣服时，脑海里想着当天所发生的事。没有任何值得一提的事。正当我准备结束我生命中的这一天时，内心忽然掠过一丝犹豫，我想起上个周末，曾经和自己订下的某个约定。从这个星期开始，我应该要整理桌子，并开始制定一周的计划。最困难的事应该首先完成。应该有固定的时间进行自我改善。诸如此类的约定。

在下了如此的决心之后，我的生活是否比以前更加辛劳？回答是"不"。事实上，我甚至觉得自己比以前更加轻松。举一个具体的例子。对我来说，想要保持桌子的清洁，必须花费很多心思。当我收到邮件，拆开阅读后，因为过一阵子还要再仔细看一遍，所以就随手放在桌子的一角。结果，桌子上的东西越堆越多，根本找不到那份邮件的去处。各种纸片在桌上挤成一堆，我总是习惯性地将这些纸片推向一旁。结果呢?我的桌上常常堆满没有任何用处的破烂。每当我坐在桌前，根本无法静下心来做事。因为这些破烂不时地提醒

我，原来还有那么多没有完成的工作。

当我下定决心后，我要求自己做的第一件事就是将桌子整理干净。如果我想要"赖皮"简直易如反掌。然而，我遵守了约定。我亲自动手，将桌上的东西一件一件地整理。虽然并不轻松，但过程却出人意料地愉快。

在整理到一半时，我发现自己竟然开始哼着小曲。

关于桌子，我和自己还有另一项约定，就是必须随时保持桌子的清洁。也因此减轻了我的工作。最令我欣喜的是，我的内心变得轻松多了。我终于可以"问心无愧"地面对我的桌子。

人性的另一个弱点

我发现，人性中还有一项小小的弱点——当我们准备着手某项工作时，经常会在开始工作前沉思好几分钟，也就是说，对自己从事这项工作的努力产生了一种恐惧。这使我想起以前我曾经害怕冷水的一件往事。那次，我去海边，为了培养自己有冬泳的勇气，我在海滩上走来走去地走了好一阵子。当我用脚踩进海浪时，不禁被那冰冷的感觉吓得缩回了脚。这时，我对

自己厌恶到了极点，觉得自己简直无可救药。最后，我只能逼迫自己拼命想像当身体完全泡在水中时，将是多么舒服，才"说服"自己下水。

遵守与自己的约定，可以令自己获得极大的满足。

休息和放松的必要性

读到这里，或许各位会以为我是要求读者从早到晚像机器般地工作，这与我的本意背道而驰。事实上，我认为休息、放松和工作一样，在人类的正常生活中，占据着相同的重要地位。不，我想说的是，如果没有充分的休息、放松的时间，一定会大大影响工作的品质。所以，你必须要求自己，每天都拥有放松和休息的时间，对一天的工作加以整理。如果你能做到这一点，我就可以向你保证——只要在日常生活中遵循这项自我训练的新方法，你就一定可以更充实地享受每天的生活。因为，你能够保持心情平静，不会因为无法履行众多约定而不知所措。

重要的是"从现在开始做"

至此，我们讨论了如何遵守与自己的约定。接下来，我想就你必须和自己制定的另一项约定，也是与本书有关的事项。

你拿起本书的意图绝对值得嘉许。你之所以会阅读本书，当然希望本书能够对你有所帮助。毫无疑问地，你的意图是非常认真，每当看到别人因此获得的完美结果，你一定也想要亲自尝试一下。

曾经有一位高人给了我一番良好的忠告，我对当时的一切没齿难忘。当我告诉他"我一定会尝试您给我的意见"时，他告诉我"每个人都说想要做，但重要的是，现在立刻开始做"。

本书中所阐述的原则都已经经过了实例的证明。而且，并非只有一、二个人，而是经过了数千人的证明。各阶层的男女老少都因为运用了这些简单的原则，获得了巨大的成功、健康和幸福。在他们的生活中，发生了令人难以置信的变化。在本书中所阐述的诸原则都非常简洁，只要运用你的知性，一定可以到达非常高的巅峰。因此，只要你有决心尝试，一定可以获得事半功倍的效果。

本章的意图

高级的家俱之所以令人赏心悦目，并不是单纯是因为上了清漆的关系，而是因为有着一系列前置作业的关系。在最后涂清漆以前，必须先用砂布磨光木材，填填补补，最后再上底漆，在从事这一系列的工作时，都必须十分小心谨慎。

当我着手撰写本书时，已经两鬓有了白丝。我并非一生下来就是成功者。当我开始理解这些即将要告诉各位的原则时，人生已经经过了几十个年头。当时，我不仅一贫如洗，甚至还欠了一屁股的债。然而，从四十岁开始，由于遵循了这些原则，使我获得了比以往四十年更大的成就。三十岁后，我的收入也更加丰厚。只要掌握这些秘诀，即使已经这把年纪，即使仍然默默无闻，即使举目无亲、一贫如洗，来到一个完全陌生的地方，也丝毫不会感到畏惧。因为我知道，我可以再次轻易地获得安逸的地位。

我并不是在自吹自擂。也并非完成了什么了不起的伟业，日后也没有如此的打算。随着阅读本书，你将逐渐了解使我获得内心平静和经济安定的秘诀。而且，你也将运用在自己身上。

以上的内容是为了激发你的想像力而写。希望你能够了解自己的理想。

一分钟的你自己

　　首先，在内心描绘出一幅可以令你感受到完全幸福的景象。——然后，再按照本书所阐述的步骤加以执行。

　　在第一章中，你一定开始逐渐意识到自己也可以成功。我希望你能够借由说出"我一定能够成功"这句话，建立起对自己的信赖感。

　　然后，暂且将本书放在一旁，站起来在房间内走动一下，挺起胸膛，握紧双拳，内心就像沸腾的水一样，对自己宣言——我一定要成功。(时间大约一分钟。)

　　你已经向成功跨出了第一步，所以一定能够了解自己将要成功。

　　在结束本章以前，还想给各位一个警告。有些人虽然尝试了本书的原则，但却认为根本派不上用场。

　　为了避免这种情况的发生，在阅读下一章前，先"休息"一、二天。必须经过充分的时间，等到前面所阐述的各种思想在你心中根深蒂固时，再继续阅读下去。如果你多年以来一直想要拥有某样东西，突然知道自己即将拥有时，你的心情如何?想必会想着即将到来的这份幸福，感觉好像漫步在云端。在运用这些黄金般的秘诀后，你的人生即将变得辉煌灿烂。你当然会对属于你的全新的人生充满热忱。

　　让我来预言一下。在你产生"我一定要成功"意识的二十四小时后，当你看到镜子中的自己时，一定会发现自己不再是以前的自己。不仅如此，朋友们也会发现全新的你，一定会讶异到底是什么力量改变了你。

所谓"成功"并不只是金钱和物质上的成功，而是人生的成功，恋爱的成功，能够令内心平静的那种广义的成功。

希望各位不要小看本章的重要性。如果认为自己的热忱还无法到达沸点，不妨重新阅读本章。

你一定可以从本书中受益匪浅。我对半吊子的结果不会感到满足，希望你不会令我失望。

对于DD来说，这些东西会让人感到压力，一种似乎必须马上做点什么的压力。可DD正是那种希望永远躲在什么背后，认同宿命的弱者。这种压力也是他一直设法躲避的感觉。

"我只是想了解誓言是什么？又何必在乎这些人类为难自己的东西呢？"DD缩在书架的角落里，不断地自言自语。

"喂，哥们，你又在发什么傻。来了这儿你总要做些什么吧？"BB疲惫的声音从书架下传了上来。

"老大，你回来了，今天找到什么了吗？"

"没那么容易，不过已经有了些眉目。下面就看你的了。"

BB回来时，已是午夜。他叫DD来到书房一角，取出一块蛋糕递给DD。

"吃吧，这可是最后的储备了。今晚如果我们找不到一章书稿，就要饿肚子了。"BB啃着自己的一份，无奈地叹了口气。

"这，这和书稿有什么关系？"DD依然一副傻样。

"蠢才，书稿和食物放在一起，只有那个秃头才做得出这样的事。"

"这难道是他设计好的?" DD 仍旧一头雾水。

"他?秃头要是知道那些书稿在哪里,还要我们做什么!"
BB 恼火地瞪了 DD 一眼。

"不过,……"

"不过什么," DD 还想再问却被 BB 打断。

"吃完了吧,该干活了。走,跟我去迷宫。"

DD 头一次从书架后的洞口钻进迷宫。这是一个由许多
叉路组成的庞大的地下世界。DD 边走边东张西望,而 BB 似
乎对这里已经非常熟悉了,他带着 DD 熟练地在迷宫中钻行。

大约走了一个多小时,他们来到了一条死路的尽头。

"这是条死路啊!" DD 疑惑地问。

"死路?" BB 嘲笑地反问,"你敲敲墙。"

DD 听话地敲了一下,立刻一种"空空"的回音灌满了
迷宫。

"这,这怎么回事。"

"傻 DD,这墙后面是空的。其它的路我都找遍了,只有
这里有路。来吧,快点干,希望天亮前能找到些什么。"

"干?干什么?" DD 又问了一个傻问题。

"喂,你是不是一只老鼠?你千万别告诉我你不会挖洞
啊!" BB 已经气极败坏了。

"可,可这的确是我头次挖洞啊!" DD 说完也觉得实在
有点过分,又忙补充,"不过我会努力学的。"

"天哪! 他居然是我的同类。" BB 真要气死了。

两个小时过去了。在 BB 的带领下,DD 依旧笨手笨脚。
好像墙已打开一个小缺口,不过太小了,肥胖的 BB 是别想
过去了。

"唉,遇上你这个天下第一笨鼠,真让我够了。"BB瘫在地上呼哧呼哧地只有喘气的份了。

DD望着垂头丧气的BB,愧疚地掉下了眼泪。

"哭有个屁用,饿肚子也不是头一回了。不过,我真拜托你好好想想自己到底有什么用,哪怕一点点也好,老弟。"BB不依不饶地继续数落DD。

DD突然冲向那个小洞,拼命缩紧身体往里钻着。

"喂,你干吗?说你两句也用不着要死要要活呀!就算要死也是撞墙,你卡在那里不死不活,还要我救,你……啊!"BB还没叫完,却发现DD已经一身泥土地钻了过去。

"老大,我DD一定找到书稿,我发誓找不到我就不回来。"DD说完就钻进了黑暗之中,只留下BB瞪得快掉出来的两粒鼠目。

这是DD发的头一个誓,是对BB,也是对自己。他不顾一切地撞进未知的黑暗之中,畏惧与怯懦早被沸腾了的血液溶化。他一直跑啊跑啊,头脑中除了那个誓言,一切都不再存在。不知跑了多久,他突然被什么东西绊了个跟头。当他爬起来准备接着跑时,却发现脚下正是那部书稿的第三章。

DD看到它,猛地扑了上去,嚎啕大哭起来。就这样又不知过了多久,DD才坐起来,心中许久的积怨也一下没有了。这是DD头次感到无比的轻松,他竟然不知不觉间读起了那卷书稿。

第三章　迷宫中的一大步

章名：你希望拥有怎样的人生

面对所有的人生问题，都可以从你自己的精神和肉体中找到答案。你是否想成为有钱人?其实，你掌握着无数走向富裕的钥匙，只是不懂得如何加以运用而已。

你是否希望自己更健康?你掌握着身体内部所有的生命泉源。

你是否希望自己更幸福?你只能从一个地方——你的内在中发现真正的幸福。随着你继续阅读本书，一定可以发现以前未曾体验过的一种全新的幸福。

你可以成为你想要成为的人

或许，你对这句话无法表示赞同。当你失败时，你或许会问"难道是我想要成为失败者，所以才失败的吗?"先别急，继续读下去，你自然会了解。

以前，我曾坐火车从芝加哥去纽约旅行。在餐车上，我坐在一位男士的对面，那位男士露出一副不安的神情。他战战兢兢地告诉我，自己从来没有在火车的餐车上用过餐，不知道该如何点菜，希望我能助他一臂之力。我很乐意帮他的忙，然后，他就向我娓娓道来他这次旅行的目的。

他曾经做了多年的邮差，日复一日地拖着沉重的邮袋，无论酷暑严寒，风雨无阻地穿梭在大街小巷，的确是一项非常辛苦的工作。在他的"管辖范围"中，有一家邮购商店每天都会收到一大堆邮件。而且，其中大部分都是用现金购物。

某天，他扪心自问，"我如此辛苦地为大家送邮件，为什么无法自己做生意，让邮差将重要的信件送到我手中？"于是他了解到，这是因为自己从未想像过自己是老板。自此之后，他每天开始学习、准备，终于下定决心要自己开公司。如今，公司渐渐成长，这次旅行是为了去纽约进货。

这位男士一直认为自己是邮差，所以，也一直过着邮差的生活。当他希望自己成为另一个角色时，这个全新的角色就开始反映在他的工作上。所以，你完全可以成为你想要成为的人。

某位业务员的命运

某位业务员对自己的命运感到十分无奈。他的薪水完全来自佣金，由于业绩十分不理想，所以，收入也少得可怜。每次听到别的业务员做到大生意，抽取一大笔佣金时，就越令他感到不满。

有一天，当这位 A 先生(暂且如此称呼他)在一个小镇的餐厅柜台啃着三明治，看到一位能干的业务员(假设他是 B 先生)正与一位客户吃着一份又大又厚，令人垂涎三尺的牛排。于是，A 先生一边开始思考，自己到底有哪一点比不上 B 先生，一边一直注视着 B 先生。

他们两个曾在同一所学校读书，两个人都没有上大学，所以，A 先生很清楚 B 先生并没有在学历上比自己优秀。到底哪里不同?差别就在你就是你自己所认为的人。

A 先生终于发现，自己之所以没有任何成就，就是因为认为自己不过是泛泛之辈。然而，B 先生却一直认为自己就是做大生意的顶尖业务员。当 A 先生开始提高自己的视野，认为自己就是一位重要的业务员的那一瞬间，他的工作开始增加，在一年不到的时间内，收入也增加了三倍。

你就是你自己所认为的人。我这么说，并不是暗示你喜欢目前的状态。你在人生路上，绝对不可能获得你想要获得的成功。因为，你从来没有想像过自己成功的样子。你绝不可能到达无上的幸福境界，因为，完全的幸福从来没有成为你意识的一部分。

新的人生计划

任何人不可能在漫无目的的情况下去长途旅行。在起程前，一定会充分研究地图。

为了从人生收获更多，你正不断学习着人生的黄金秘诀。但是，你真的了解你需要什么吗?了解自己的需要的人少得出奇。虽然我们对现状感到不满，然而，当有人问你"你能够明确说出你想要的东西吗?"时,想要回答这个问题并不如想像中容易。

不久,你会开始设计新的人生"地图",带领你走向目标。但是在此之前,首先必须了解自己前进的方向。因此,就需要你像现在那样,聚精会神地阅读本书——按本书中的指示行事。

既然"你就是你自己所认为的人"是真理,从今以后,你必须要改变自己在自己心目中的形象——换句话说,你必须认为自己是一个全新的自我。能够吸引他人的人格、美好的健康和幸福——这就是全新的你。

你想要的是怎样的人生

如果你能够顺利地获得你想要的东西,那么,你到底想要什么?用之不尽的财宝?豪华的房舍?新的汽车?成堆的华服?还是巨额的银行存款?

或是更理想的工作?拥有自己的事业?更多的权力?希望受到社会的尊敬?想成为举足轻重的人物?

或是想要更健康?更受欢迎?拥有许多优秀的朋友?

我告诉你,你要达成这些愿望并非不可能时,你一定会觉得我言过其实。是否觉得自己在听阿拉丁和神灯的故事?或许真的如此。然而,你应该知道,其实事实往往比小说更富有传奇性。

在洛杉矶,一位妇人正搬进一幢非常壮观的房子。一位正在装电表的电气工人说道"如果能够变成有钱人,住进这样的房子,该多么美好"。新的屋主微笑地表示赞同,答道:"我并不是什么有钱人。两年前,我几乎一无所有。但是,在学习人生的黄金秘诀后,令我清醒了。所以,才有今天的一切。"

幻想后,往往会令人感到惆怅,所以,我并不建议大家去

幻想。

然而现在，你需要幻想一下。所以，不妨想像自己生活在童话世界中，将这一章视为能够满足你所有愿望的神灯，明确地决定你自己到底想要什么。

这个世界上，存在于人类周围的基本法则

在本书的起始部分，我提到希望各位能够敞开心扉投入这项工作，至于其中的理由，现在让我来告诉你。现在，你将学习运用将在后章说明的内容所能够获得的成果。

随着你的进步，随着你对为什么这项原则会产生如此的作用有所理解后，你的疑惑就自然会迎刃而解。

在进一步深入以前，必须申明一项非常重要的事项。在本书中所谈的内容，并不是我个人思考出来的。我只是希望你能够运用这个世界上，存在于我们周围的基本法则和原理。我所做的惟一的一件事，就是将这些基本法则和原理加以组合，使之更通俗易懂，能够立刻加以运用。

当你看到巨无霸飞机时，你或许会惊讶得瞠目惊视。巨无霸飞机除了载人以外，还要运载数吨金属和其他资材高高地飞上天空，你或许会对人类智慧的结晶发出惊叹的声音。但是，你是否曾经想过，其实飞机中没有任何一项新的事物？制造飞机的金属，自遥远的过去开始，就埋藏在像母亲一般的大地中，使飞机能够在天空飞行的燃料也来自大地。飞机中，惟一的新事物就是将材料加以结合、组合，并使之能够轻盈地翱翔在天空的人类的知识。我即将传授给各位的原理，也是如此。它们一直存在于这个世界上。其中惟一的新事物就是，当我们加以正确运用时，发现人类从中获得的力量。

决定目标的技巧

如果你想要远行，在此之前，你必须了解自己将何去何从。

因此，你也要以相同的态度对待我即将阐述的黄金秘诀。我希望你能够在自己的心中决定什么是自己真正期待的。必须十分明确！必须在内心正确地描绘出自己想要完成的目标。或许，你会觉得我的要求不可思议，但随着你进一步阅读本书，你就会了解其中的理由。

你必须买一本笔记本作为计划簿。便宜的笔记本就可以。在落笔之前，必须沉思片刻，扪心自问——"如果我能够随心所欲地获得任何我想要的东西，那么，我到底想要什么？"

当你的欲望在内心明确地浮现时，就可以写下来。打开笔记本，在扉页写下——"我身体的目标"。在第二页中，写下——"我想拥有的目标"。在第三页上，写下——"我工作上的目标"。

在身体目标的栏内，写上你希望自己的身体有所改变的地方。举例来说：

减轻体重

保持容貌和身体的年轻

精力更加旺盛

克服胆小

改正不良习惯

其他等等

在"想要拥有"的栏内，写下你认为能够让你获得幸福的事物。

这时，不必有所顾忌。因为，如果你只想要鸡脚的话，绝不可能获得整只鸡。在这一栏中，你可以写下类似以下的事物。

自己的家

新的汽车

豪华的衣柜

充足的银行存款

新的电脑

新式洗衣机

背投电视机

高级照相机

在"工作栏"内，可以写以下的项目。

更理想的工作

自己的事业

更多的朋友

理想的先生——或太太

专业知识（例如演技、写作、绘画、音乐、法律、医学、建筑等）

或许，你会觉得我要求你这么做只是心血来潮。但无论如何，我希望你能够按我的要求去做。随着进一步阅读本书，你将会了解，我为什么提出这样的要求——这么做，可以让自然的力量为你发挥怎样的功效？

一分钟的你自己

描绘内心的图像

请依照以下原则，每天作一次一分钟的内心图像描绘。

如果有一位律师告诉你，你获得了一笔相当可观的遗产，长长的遗产清单上记录着各种建筑物、家俱、汽车等财产，每次看这份清单。都令你内心波涛汹涌。每次看到各个财产项目，在你和等待这些遗产尽早转到你名下的家人的心目中，会清晰地浮现出财产的具体影像。当你每次看到笔记本上所记录的各个项目时，也应该有相同的感觉。至少，从今天开始，要每天早、中、晚三次，从头到尾阅读这份清单，不要一目十行。应该将每一个目标在心中清晰地加以描绘，激发内心的期待，要真正拥有这一切。

某地方工会的干部曾经按照该方法，列出了七十二个项目，在一年不到的时间内，就已经实现了其中的四十项。其中，有一项就是能够在众人面前大胆地发表自己的意见。如今，他工作中有相当一部分需要在工会会员的面前发表演讲，而且，他对此也十分胜任。

曾有一位妇人为了改正自己胆小的缺点，学习了这种方法，之后成为一位一流的保险业务员。当初，她列出了一张长长的清单，并仔细检查了各项目。之后，她十分兴奋地告诉我，其实，在她所列出的众多项目中，有几项几乎根本不可能实现，以致她在落笔时也十分犹豫，但当它真的付诸实现时，却觉得这一切都是理所当然，而且，实现的过程没有丝毫的困难。

我希望你能够认真地执行本章中的建议。你所获得的成果，将可以证明，你购买本书是至今为止投资报酬率最大的一项投资。

在阅读完本章之后，希望你能够等待三天，再阅读下一章。在这三天的时间内，必须随时将你的目标清单放在自己面前。

你可以随时更改清单的内容。可以去除一些认为已经不必要的项目，也可以增加新的内容。必须随时保持清单的"新鲜度"。

这是DD经过一翻艰辛，自己找到的一卷书稿。冥冥中他觉得这书稿正是为他而存在的。这次他读得很仔细很投入。重要的是他不再把书中所讲的视做与自己无关。因此，他头一次觉得自己该照书里的话试一试。

不过这时一个新的问题，而且紧迫的问题出现在眼前，那就是他怎么回去呀!?

DD 发现这个问题后，又显得六神无主。他围着书稿绕起圈来。此刻，他真希望 BB 在身旁，哪怕能听到他刻毒的咒骂也好啊!

也许没有人，噢，对不起，是老鼠!DD 这样脑子一片空白地转个不停。但无论如何，他此刻不再转了。大概他也转晕了。

"怎么办?原地等 BB 呢，还是自己找路?"

以 DD 的性格来说，他更应该选择守株待兔的消极方式。可谁叫他刚刚读了那部书稿，又误打误撞获得了首次成功。老鼠的血也是有温度的。我们的 DD 经过良久思考后，毅然决然地准备自谋出路了。

不过，壮士 DD 在临行前想起了与书放在一起的食物，便又开始到处寻找。结果令他失望，在早已被他打转了几百圈的地道四周什么也没有。

失望归失望，DD 的决心已下，走还是要走的。DD 拖着他做为鼠辈去找猎物的书稿，在迷宫中艰难地前行着。

这一走，又不知多长时间。当然，对我们人类来说也就是个把小时，而对于 DD 来说，这可是他短促的人生中的一大步啊! 这个世界上最能消磨信心的无过于时间，而个把小时已足以打倒 DD 刚刚建立起来的一点点自信。不过，DD 此时既使失去了信心，也没有了退路，他只能继续走。当然，这样的走与出发时满怀信心的走也是有区别的。因为现在的这种走法更易耗尽体力。

不过故事要继续，对我们可怜DD的考验再残酷也不能让他力尽而亡，要知道创造一个新角色可够劳神的。因此，我们挑了这么一条公理出台：一切负出，都将有所回报。

为了回报DD傻乎乎付出的惨重体力消耗，他再一次绊倒了。当DD爬起来一看，不好意思，你们一定猜到了，就是那部书稿的第四章：放松的技巧。

嗳，大家和我，当然还有我们的DD都够累得了，不如看看如何放轻松吧!

第四章　窸窸窣窣的声音

章名：放松的技巧

你应该尽可能牢记本章节的内容，在开始阅读新的篇章以前，尽可能让自己保持放松。由此，可以让你觉得阅读本书是一种快乐，也就能够收获得更多。

放松的效果

放松是一种技巧。虽然很多人都了解放松的价值，但能够随心所欲地放松的人却少之又少。

首先，必须了解这句话是一项真理——肉体紧张时，会消耗能量，放松时，能够恢复能量。必须随时牢记这一点! 如果我们能够保持正确的生活方式，在必要的时候彻底休息、放松，就可能贮存足够的能量，"支撑"到下一次的放松时间。

坐着或躺着并不一定等于放松。即使坐在椅子上或是躺在床上，也可能和工作时一样，外于紧张的状态。

关于放松的实验

现在，我希望你立刻做一个实验。坐在一张舒适的椅子上，努力让自己放松五分钟。来，赶快将本书放在一旁，立刻让自己放松。

怎么样，在这五分钟内，你是否获得了放松?有没有感觉舒服一点?相信你不可能说，你比以前感觉更舒服。甚至有人会说，感觉比刚才更疲倦。你知道其中的原因吗?因为，刚才你努力想要让自己放松，所以，就无法让自己放松下来。因为，你运用了意志的力量想要使自己放松。当你处于紧张的状态时，就会不断燃烧体内的能量。所以，在你想要放松的这五分钟内，根本没有获得休息。

现在，你对放松应该已经有所认识。尤其了解到，意志的力量对放松根本没有任何的帮助。运用意志的力量其实和用力气相同。

还有另外一个实验。伸出你的右手，张开、握拳几次。然后，再动动你的手指。再上、下摆动手臂一、二次。做这些动作是否会令你感到困难?你是怎样完成这些运动的?是否运用了意志的力量?完全不是! 你是因为建立在信念基础上的欲望完成了这一切。是建立在自己可以做到这一切的信念基础上，想要活动手和手臂的欲望让这一切付诸实现。

现在，你是否会觉得，既然思考的表现可以控制身体各部分的运动，那么，是否代表身体的肌肉也会回应身体的欲望获得放松?没错，就是这么回事。

总有一天，只要你一坐下来，就可以自动地进入放松的状态。但想要达到这一境界，首先必须根据我在本章中所传授的简单步骤，掌握放松的意识。

相信你曾经听过"打盹"(猫打瞌睡)这句话。也应该看过猫

打瞌睡时，真的能够立刻入睡。而且，只要打盹几分钟，就立刻精神百倍。你知道其中的原因吗?这是因为猫在躺下的那一瞬间开始，从鼻子到尾巴的每一部分都充分获得了放松。充分放松可以帮助入睡。彻底放松的短暂睡眠，远远比肉体持续紧张的长时间睡眠更有助于体力的恢复。

以下，将要介绍放松的步骤，至少要每天练习一次，如果可能的话，应该每天按此方法练习二、三次。

放松的方法

首先，让自己处于舒适的状态。可以躺在床上，也可以坐在椅子上。然后，不要运用任何意志的力量，向身体各部分传送放松的命令。就好像你刚才在做手和手臂的动作一样，你的肌肉会自然地作出回应。

从左脚开始，想像自己的脚趾正在放松。然后，向脚传达"放松"的暗示。然后，再向脚踝、小腿、膝盖发出"放松"的命令。接着，再转移向右脚，从脚趾开始，一直到大腿，都传达"放松"的命令。

然后，是手的部分——从手指开始，向手、手腕，一直向身体的方向传达。接着，再让头、脸、脖颈放松。告诉身体各个部分"放松"——喉咙，放松! 下巴，放松! 脖颈，放松! 然后，再让身体的躯干部分放松，从胸部开始，顺着肠子一直向下放松。

刚开始练习时，约需要三、五分钟才能向身体每个部分确实传达"放松"的命令。熟练后，就可以在想要放松的时候，立刻达到"让灵魂飞到九霄云外"的境界。

如果你的内心处于放松状态，即使不刻意"发布命令"，也可以在任何情况下，达到放松的境界。在公车、电车中也可以放松，在工作休息时间内也可以放松。一旦掌握了放松的技巧，就可以在丝毫不疲劳的情况下，完成更多的工作。不仅如此，你可以从工作中，发现更多的喜悦。

以上谈了肉体方面的放松，以下，讨论一下放松的心理层面。

放松的心理层面

从心理学的观念认识放松时，可以说——我们除了肉体需要放松以外，心理上也需要放松。事实上，如果精神无法放松，肉体就根本不可能放松下来。如果在练习放松时，内心存在某些有待解决的问题时，必须先将这些问题搁置一旁，完成练习后，再去处理这些问题。你完全可以做到。更有趣的是，你将可以发现，等你完成练习，再度重新面对这些问题时，这些问题显得无足轻重。因为，当你放松时，你的视野、判断力和能够无所畏惧地面对问题的能力都获得了磨练。

放松的熟睡

"我一整晚都睡得很沉，但早晨起床时，仍然感觉很疲倦"。你是否曾听别人这样说过。假设我们认同在没有放松的情况下，也能够熟睡。如果你一整晚都保持紧张的情绪，就根本无法贮存能量, 所以早晨起床时, 仍然和上床前一样, 感到疲惫万分。

以下介绍尽快进入睡眠, 进入熟睡状态, 第二天起床后, 神清气爽的简单方法。

一、想要进入睡眠时, 不要运用意志的力量。

二、将一天的烦恼都抛在脑后。

三、从脚趾开始, 到身体的每一部分都按照放松的方法进行。

在放松的情况下安眠一晚后, 清晨醒来, 感到浑身充满精力。当一天有良好的开始时, 也能够为当天划上完美的句点。

放松可以永保年轻

在学习放松时, 也不要忘记脸部肌肉的放松。脸部许多不愉快的表情都是在紧张的情绪下产生的。当我们在思考或工作时, 往往会情不自禁地皱起眉头。眼尾的皱纹, 是因为斜眼看人所产生的。心烦意乱或是生气时, 嘴巴周围就会出现很深的线条。

微笑的脸就是放松的脸。当面带笑容时, 会令人感觉十分亲切。而且, 笑容可以更进一步增加你的美丽。所以, 在练习放松时, 也不要忘记面带笑容。

放松的优点

如果能够做到随时令自己放松, 将令你受益无穷。举例来说——

一、思考变得轻松。当身心处于放松状态时, 思绪也变得更加活泼。

二、能够激发更完美的想法。心情放松时，处于能够自我控制的状态，也因此可以激发更完美的想法。

三、精力更加旺盛。放松有助于贮存能量，也就能够做更多的工作，工作也更出色，而且不会感觉疲劳。

四、能够保持心情愉快。紧张经常会导致情绪火爆。

知识不加以运用，就根本不具有任何价值

光了解放松的方法还远远不够。必须将这些知识提升到经验的层次。惟一的方法就是亲身加以体验。以下是几点建议，虽然很简单，但却十分重要。

一、必须逐字逐句地阅读本章。

二、积极地放松自我，告诉自己"我能够放松"。

三、培养自己放松的习惯，除了白天练习二、三次以外，临睡前也要养成放松的习惯。不需要消耗能量时，就立刻养成放松的习惯，并将之视为自己的第二天性。

 一分钟的你自己

重力的法则也适用在你身上

将一个装有面粉的袋子直立时，底部会鼓涨起来。这是因为重力法则的关系。人类从出生开始，在二十四小时中，有三分之二的时间都是处于直立的姿势，在这直立姿势中，当然也包括坐姿。所以，重力法则就会发挥效用，产生腹部突出的肥胖现象。

如何运用倾斜板

倾斜板正是为身材臃肿的男男女女所发明的最佳礼物。只要每天在倾斜板上躺上一分钟，就可以使重力法则向相反方向运作，内脏也就可以回到原来的位置。

倾斜板是长二公尺，宽五十公分的板。将其中的一端架在椅子、床铺、长板凳上——只要是高度为五十公分左右的固体都可以——头部向下，平躺在这块板上。每次只要一分钟，一天练习十次，反复练习。

使用倾斜板时，最好只限于身体健康者。如果对自己的健康缺乏自信，使用前，不妨请教医师的意见。

倾斜板的效用

在本章开始之初，我们学习了放松的价值。其实，也可以将倾斜板运用在放松上。躺在倾斜板上放松，简直易如反掌。所以，躺在倾斜板上，不仅有益美容与健康，而且，还可以因为获得放松效果，蓄积起更多能量。

倾斜板有益于脑力劳动者。当因为读书或思考而感觉疲劳时，躺在倾斜板上数分钟，就可以令头脑获得休息，能够更思路清晰地继续工作。脑力劳动者应该随时运用倾斜板，使自己能够以最佳状态迎接工作。

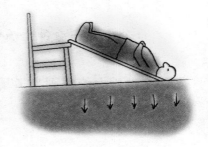

阅读完本章后，在倾斜板上静静地躺上一分钟，使书中的内容在脑海中浮现，不失为一大妙计。

人类总是忌妒老鼠强大的生命力，却从没有人肯怜惜一下他们艰辛的生命之旅。可怜的DD此刻也决不会奢望有人会帮他，他只有在人类为自己杜撰的书中找到力量。这很可笑，许多人读了专为他们打气的书后，仍然无所改变。甚至，对书中的苦心孤诣视为废话。他们用地球上最聪明的脑袋罗列出一大套理由为自己辩解。在他们眼里，这些足以蒙蔽上帝的眼睛。然而，今天的这只小老鼠DD却明确无误地告诉了他们，被蒙蔽的只是那些自视聪明者的愚目。

这章东西很适合疲惫不堪的DD。现在，DD已经酣然入睡了。

这是DD来到这里后第一次睡眠，他睡得很沉，几乎没有做梦，不过总有些似是而非的影像在他眼前飘来飘去。

时间在一点点地逝去，迷宫中依旧黑暗而寂静。在这里不会有白昼与黑夜的更替，一切在死寂中，只有DD轻微几乎不可察觉的呼吸在告诉我们这里有一个生命的存在。

忽然，迷宫的不远处传来了窸窸窣窣的声音。这让DD终于从睡梦中惊醒。他刚一睁开两粒鼠目，便不由地大叫起来，"啊!"

原来，在DD前方不远处两点幽绿的光团正迅速向DD飘过来。DD连忙起身连滚带爬地向后窜去，咚! 他却一头撞在墙上，差点晕过去。

"喂! 你跑什么? 老子找你也快累死了, 你小子却躲在这里睡大觉。"

啊! 这不是BB那无比尖刻的声音?

"噢，BB，老大，是你吗?" DD这回真是喜出望外了。

　　"不是老子我，还有谁会来找你这样一只无用的老鼠。"BB已来到DD面前，翻看着地上的两章书稿，"不错嘛! 找到两章。我早说过，再笨的家伙跟着我都将前途无量，喂，老弟先吃点东西。"

　　DD接过食物，有点不好意思，"可是我只要找到了书稿，却没有找到食物。"

　　"傻子，只有把发现书稿的地点绘在这张图上，那里才会有食物。"BB说着取出了一卷羊皮纸，纸上绘满了弯弯曲曲的路径，在一些地方标着绿色闪光的小点。

　　"这些小点就是发现书稿的位置?"

　　"聪明，希望你继续努力，不要骄傲啊! "BB一脸嘻笑。

　　"来，看看这个，你一定想看这些东西。"

　　"什么?"BB接过DD递过来的玩意，打开一看，竟是那本书的第五章。

　　"你也找到一章?"DD惊奇地望着BB。

　　"废话，我会不如你?快看吧，我要睡一会了。"

第五章　上辈子是人

章名：你的精神力归处

在开始阅读本书最重要的部分之一的本章之前，首先，建议你要令自己彻底放松。

将所有的烦恼和担忧都抛在脑后。

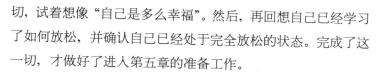

在这种状态下，在内心回想一下在第一章中所介绍的"自我"。

思考一下在第三章中自己所列出的目标。然后，想像自己已经开始实现这一切，试着想像"自己是多么幸福"。然后，再回想自己已经学习了如何放松，并确认自己已经处于完全放松的状态。完成了这一切，才做好了进入第五章的准备工作。

本章的重要性

看到拱门时，你是否曾经注意到位于拱门中央部分的楔形石块?该楔形石块可以将所有的石块都固定在应有的位置上。这块重要的石块称为楔石。事实上，这块楔石也经常被用来象征伟大的团结力量。

所以，一定要仔细地阅读。在阅读的同时，还必须思考。工匠即使有幸获得一套精心制作的道具，如果不懂得如何加以运用，这些道具等于"英雄无用武之地"。在以后篇章中所阐述的原则也是一样，像看小说般地阅读这些原则显然是暴殄天物。

必须充分加以理解。如果只是阅读这些炼言，并将之牢记在心，只会令你觉得烦不胜烦。只有充分理解这些思想，这些篇章才能真正发挥用作。

心的构造

以下，我们要讨论一个令心理学家和形而上学家争论不休的问题。我们将就心的各部门加以讨论。

基本上，我们认为心在本质上是二元性的。或者说，心是由两个部分组成——或者，你可以说是将两者连结在一起的心。一般称这两个心为意识(或客观的心)与潜意识(或主观的心)。以后，我将二者分别称为意识心与创造心(潜意识)。

从创造心理学的研究角度来看，以前所说的潜意识的心灵部分，其实是智能的宝库，是伟大的力量贮藏库。

你从本书中所获得的利益，就是建立在学习伟大之心的鲜活用法基础上。因此，在本书中，你必须充分学习如何运用创造之心。

意识心和创造心

意识心用来进行意识性思考和推理。你之所以会下定决心阅读本书，就是意识心激发起这种思想和行动。决定去吃饭、决心去看电影、决定去旅行——意识之心产生了所有这些想法。

创造心控制着心脏的跳动、血液循环、呼吸等所有体内的不随意活动。

在此，希望你能够记住——意识心是主人，创造心是仆人。或许你会质疑，我在前面说创造心是智能与力量的来源，现在，又说创造心是意识心的仆人，岂不自相矛盾？其实，根本没有任何矛盾。就好像军队是力量的来源，但是所有军队都只服从一个人，也就是将军的命令。

意识心与创造心之间的相互关系

我们以一个非常简单的例子来说明意识心与创造心的相对位置。

有一家大公司，为了使说明简单明了，我们假设该工作归董事长一人所有，厂长则负责工厂的管理。正如你所知道的，董事长会为工厂建立所有的计划。决定必须生产的产品，以及生产方法。董事长会给予厂长各项指示，厂长就必须执行这些指示。有时，厂长的意见也可能与董事长发生冲突，可能会和董事长争论，但如果董事长坚持自己的

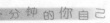

主张时，厂长就有义务执行董事长的指示。

接着，我们来思考一下身体这个大公司。这时，意识之心就是董事长，创造心就是厂长。但是，存在着一个

重要的差异，我在前面提到公司工厂厂长可能与董事长意见不合，彼此发生争辩。然而，创造心却绝对不会有这种"反抗"行为。创造心会毫无疑义地接受所有指示，并正确地执行每一项指示。

如果董事长想要改变所生产商品的设计，首先，他必须在内心构想想要制造产品的样子。然后，再将新的设计图交给厂长，工厂就可以按新设计图投入生产。

在身体内部，也进行着相同的过程。当意识心有任何想法时，创造心就会将这种想法视为指令，在行动中努力加以实现。

创造心的智力

你是否有意识地呼吸？你是否有意识地支配着心脏的跳动？血液的循环？你是否了解，在你的身体中，存在着一个比所有人工建造的化学研究所更优秀的研究所？在该研究所内，从你所摄取的食物中挑选出维他命、矿物质，以及其他血液、骨骼、组织、能量所需要的要素。你是否有意识地指挥着该研究所的活动？组织经过二十四小时后就会老化，由进入体内的新组织替代。

你是否有意识地指挥着这种新陈代谢?所有这些问题的回答都是"No"。你即使花费毕生的精力，都无法掌握完成其中一项工作的智力——有意识的智力。不仅如此，你的意识之心一次只能思考一件事，然而，以上所列举的所有活动，不，还包括其他无数的活动，都在同一时间内周而复始地进行着。只有一种智力可以指挥所有这一切活动，这就是创造心的智力。

创造心的思考能力的例子

你是否用过打字机?打字时,你是否有意识地敲打按键?或许你以为正是如此，但事实上却完全不是。在你刚学打字时，的确在有意识的情况下打字。在一个字、一个字地打字的阶段，的确如此。但随着不断的练习，你的创造心逐渐接受了这一切，当创造心向你的手指发出命令后，打字的速度也变得十分神速。

你开车吗?你是否有意识地开车?刚开始学开车时，的确如此，在该阶段，你的开车技术也很差劲。因为，每一个动作都必须由意识下达命令。停车时，脑子里就会想"松开离合器，脚松开加速板。然后，要踩刹车"。必须有意识地思考这一系列动作，当然会花费相当的时间。结果，由于无法迅速地反应，往往会造成交通意外。但是，在开车有相当一段时间后，创造心开始接受开车的工作。于是，你就可

现在我要睡一会儿了，一切事情交给你处理吧!

噢噢! 我需要明确的指令才能开始工作呀!

以开得驾轻就熟。即使遇到需要紧急刹车的状况，也可以在意识下达命令之前，迅速地完成一系列必要的动作。

优秀的演讲者在演讲时，是否有意识地高谈阔论？如果他事先写好发言稿，像留声机般地谈话时，相信一定会令人感到乏味。优秀的演讲者了解自己要谈论的主题，在演讲过程中，创造心不断地向意识传达谈话的内容。

相信以上的例子可以充分证明，创造心具有思考力和智力。

支配创造心

你已经了解你的创造心是力量和智能的来源。你也了解意识心在创造心面前根本是"小巫见大巫"。尽管如此，意识心仍然是主人，创造心依然是仆人。

彻底认识这项事实的价值十分重要。有些人之所以在人生路上无法获得成功，就是因为无法成为创造心的主人，反而沦为创造心的仆人。

火可以成为你的主人，也可以成为你的仆人。失控的火可以摧毁一切。但是，受到控制后，可以成为光、热和力量的供应源。创造心受到控制时，可以为你带来成功、健康和幸福，失控时，也可以成为穷困、贫苦、疾病缠身、烦恼的原因。

本书的目的就在于向你传授灵活运用创造心的方法，以避免这种失控的情况发生。

两点建议

在这里，我建议各位在继续阅读本书前，先回到本章的第一页，重新从头到尾阅读其中的内容。然后，彻底思考一下所阅读的内容。创造心可以为你完成最理想的工作，必须在脑海中对此留下深刻的印象。然后，想像一下存在于创造心中的巨大的力量贮藏库，并且确认这并不是你的主人，而是你的仆人。没错，你随时可以操控这种力量的泉源，为你带来无上的成功与幸福。所以，必须遵从这项忠告。

还有一项你必须牢记在心的是，创造心不会积极地去做任何事。

你必须为"她"按下按键。

虽然你可以自由地支配这些力量和智能，但是，想要创造心为你付出，你必须向"她"下达命令。

创造心听从你的命令

如何向创造心发号施令?这个问题的答案简单得令人难以置信。你的思想就是命令。一定要记住这句话。

创造心对全身都负有责任。身体中的任何一个器官，都隶属于创造心的指挥。

如果你拥有幸福的思想，你的创造心就会将之视为指令接受，使你处于幸福和喜悦的感情中。

如果你满脑子都是失败和贫困，你的创造心就会创造出失败和贫困的气氛。让你走起路来无精打采、眼神空虚、满嘴牢骚，所有这一切，都会让你更加失败和贫困。

在后面的篇章中，你将会学到我们的身体既可以放射出消极的振动，也可以放射出积极的振动，我们的感情可以影响周围的人。但现在，我们只从心理学的角度去认识思考的问题。

当你拥有成功和富裕的想法时，你的创造心就会营造出成功和富裕的气氛。

让你走起路来精神抖擞，眼睛炯炯有神，说起话来也神采奕奕。这一切也将令人更加充满自信。

我学习这项真理的动机

我在什么时候明确了解了这项伟大的真理?相信你对这个问题一定很有兴趣。

我曾经在纽约开了一家广告代理店。某一次，因为某些以个人力量丝毫无法挽回的因素，对公司造成了莫大的损失。正确地说，因为我的关系，为公司带来三万美金的赤字。为了挽回，我拿出了自己所有的积蓄，但仍然无济于事。其中有两位债权人提起了诉讼，其他人也开始担心起来。

一连好几天，去事务所就成了我最大的痛苦。因为，从我一走进事务所，到晚上我离开以前，电话铃一直响个不停，都是债权人打来催讨债务。有一天早晨，在吃早餐时，想到今天又要去公司，不免有些心灰意冷。这时，我内心突然想起好几位在这一行做得有声有色的成功人士。于是，我扪心自问，到底他们做了什么我没有做的事。我很明确地了解，绝不是肉体的问题。也不是教育的问题。

因为，我知道许多人的经验和教育并不如我。左思右想后，我终于发现，成功者和失败者的惟一差异就在于意识的问题。失败者往往认为自己命该如此，所以，就一直甘心被别人踩在脚下。

顿时，我的内心感觉好像拨开了乌云，终于看到了太阳的光芒。

在几分钟前，我还不想去公司，但现在，却想要早一分钟赶去公司。于是，我急急忙忙吃完早餐，跑向巴士站。

到了公司以后，立刻请处理杂务的女孩子列一份债权者的清单给我，并逐一打电放话给每一位债权人。先从最大的债权人开始，当对方公司的董事长听电话时，我就请他再给我一点时间，我一定会将债务如数奉还。于是，他问了我一个问题"你是不是找到什么好工作了？"我回答说："不，但是，我把握了更重要的东西。"对方回答说："我就相信你一次。我从你的声音中就可以听出来。好吧，就帮你一次。"

于是，我接二连三地与所有债权人取得了联系，和每一个人都达成了这样的协议。

之后，我以这种全新的精神，不仅安抚了债权人的情绪和行为，更以成功者的态度迎接了新的工作，在一年不到的时间内，清偿了所有的债务。

动作可以创造感情

你的创造心在你思想的命令下，正不断地为你服务。继续阅读本书，你将可以学习到，该如何下达命令，使创造心能够达到特别的目标。目前，先向大家传授简单的方法。

行为(motion)可以创造感情(emotion)，这是心理学上的真理。也就是说，当你不断重复某一个动作时，就会逐渐习惯该动作使之成为你身体的一部分。

如果你经常在脑海中重复某种思想，即使在刚开始时，内心会觉得这种想法难以接受，随着日积月累，就会觉得这种想法非常理所当然。如果你认为难以置信，不妨亲身体验一下。当你心情不好时，让自己充分放松，然后告诉自己"我很幸福!""我很幸福!""我很幸福!"，在数分分钟后，你内心的忧郁就会烟消云散。

所以，我建议你从今天开始，每天早、晚，用纸和笔写下你想要深深烙印在意识中的真理。你所要做的第一件事就是我对自己充满自信。相信自己能够成功，能够受人欢迎，无论在人品和健康上都充满魅力。

 一分钟的你自己

告诉自己的话

每天早晚至少二十次，每次一分钟用笔写下要告诉自己的话。"我对自己充满自信!"早晨是非常重要的时间。因为，当你在早晨告诉自己"我对自己充满自信"后，在白天的时间内，你的创造心就会在此命令下工作，并不断地反映在你的行动上。晚上也是重要的时间。因为，创造心永远不会沉睡，当你给予创造心这种积极的内容时，在夜晚，你的意识心沉睡时，你的力量和智能的大贮藏库仍然为了实现你的信念而不停地努力。

如果你的目标之一是在经济上获得成功，那么，请在早晚拿出纸笔，写下你要告诉自己的话——"我一定会成功!"要不停地写。每天早、晚都不停地写"我一定会成功!""我一定会成功!"。

如果你对自己的健康状态不甚满意，可以写下对健康有积极作用的内容"我很健康，身体越来越强壮"。

如果你意气消沉，为了将消极的思考转化为积极的思考，也可以运用该方法。可以写下——"我很幸福!""我很幸福!""我很幸福!"……。

在重复这种练习后,就可以培养积极思考的习惯。当烦恼涌上自己的心头时,就可以用积极的思考将之赶出脑外。

这是最快乐的一天。DD 先独自闯入了迷宫,并且找到两章书稿。而此刻又在 BB 身旁看完了另一章。DD 满足地收好书稿,他忽然觉得自己很充实,很幸福,而且对未来从没有像此刻这样充满信心。

BB 醒来的第一件事,就是取出地图,把他们所在的位置标在图上。随着一个新的绿点出现在图上,DD 眼前也忽地多了一样东西。DD 连忙揉揉眼睛,仔细一看,原来是一大块奶酪。

"噢,我的天啊! 它是怎么来的?"

"这不是问题,它要没出现才是问题!"BB 不知从哪弄了辆小推车,"快装车,我们该回家了。"

两只老鼠 BB 与 DD 一前一后,推着他们的一车战利品在漆黑的迷宫中走着,但你只能看到他们闪闪发光的眼睛,就好像四粒鬼火在飘来飘去。

后面的那两粒鬼火眨了眨问:"你怎么会找到我的。"这显然是怯懦的 DD。

"我真怀疑你是不是只老鼠?"前面的两粒鬼火忽然要爆开似得,这当然是 BB 在发怒。"天下哪只老鼠不会嗅着味找到自己要找的东西。我们已经是鼠目寸光了,鼻子再不管用,实在是只有等死了。"BB 的确不愧为一只优秀的老鼠。

"嗅?"DD 使劲用鼻子嗅了嗅,"啊嚏!"一股尘土立刻钻进了他的鼻子。

"哈……天哪!哈哈……"BB笑得满地打滚,DD还一脸无辜地不知所以然。

"DD,你真不是一块好老鼠的料,看你对那些关于人的书那么有精神,我想你上辈子一定是个人吧!"BB打趣地说。

"唉,做人就好了,我可以完成多少现在想都不敢想的伟业。"DD却不在乎,很快又沉浸到做人的美梦中去了。

BB与DD终于把一车东西推回了书房,这时天色已大亮,不过实在搞不清这是那天夜里出去后的第几个白天。

BB可管不了这些,一骨碌爬回那本书后又开始做白日梦了。

DD把食物收拾好,又把三章书稿拖上书架,夹进夹子里,这才松了口气。他望了望窗外,又是一个晴朗的日子,DD真向往能到房外去走走,不过这只能想想罢了。

DD叹了口气,又打开夹子一页页翻起来,他忽然发现第六章早在夹子里了,这一定是BB在DD没有来之前找到的。于是DD就读了起来。

第六章　吃菜的鸟儿

章名：事半功倍

亿万富翁的最大资产是什么?相信你一定会回答"当然是万贯家财"。但其实并不正确。他们的最大资产既不是金钱，也不是不动产，更不是在社会上的力量。

或许你会说，如果亿万富翁的最大资产不是金钱，那一定是为他创造万贯家财的能力。这句话正确与否，必须视对能力的解释而定。如果你所指的能力是教育，或是有关事业、商业法律的知识，那么，以上的答案仍然错误。

亿万富翁的最大资产

亿万富翁的最大资产是他的成功意识。换句话说，就是他了解自己会成功的内心状态。

根据统计发现，虽然大专院校每年向商业社会提供数万名曾经接受成功教育的年轻男女，然而，能够获得真正成功的人却寥寥无几。

如果你有机会研究成功者

与泛泛之辈之间的差异,你会发现怎样的差异?人只要了解自己绝对不会失败, 就可以获得成功。因为, 在成功者的内心深深地刻上了"我是成功者"这句强而有力的话。

这种方法也完全适用在你身上。

如何阅读本章

自本章开始, 在阅读时, 必须比以前更加深思熟虑。在阅读的同时, 必须充分激荡自己的脑力。不要读一读就算了, 必须深刻理解其中的含义, 研究、思考如何才能适用于自己的生活。就好像去买衣服时, 一定会想像一下这件衣服穿在身上会产生怎样的效果一样。

本章的内容非常重要。你将从中获益匪浅, 但这并不是因为我所要表达的内容比前面的内容更加重要, 而是因为即使面对相同的材料, 现在的你可以从中体会更多的东西。为了更进一步增加效果, 我建议你——让自己处于完全放松的状态, 闭上眼睛一分钟, 在脑海里回忆一下以前各章节的内容。与此同时, 告诉自己, 目前, 自己正在阅读一些能够令自己更加富足、更加幸福的材料。这一系列的动作将使你处于能够更有效地灵活运用本书的心理状态。

"半边心"的使用方法

当你遇到某些棘手的问题时, 你是否曾经想过, 最好自己睡上一觉, 等自己醒来时, 能够有一股不可思议的力量为你排除万难。基本上, 几乎每个人都有这种愿望, 相信你也不例外。

罗伯特·亚普登格夫曾经说过"人之所以无法更快地达到目标, 无法获得充实的地位, 与欠缺脑力或生意能力并没有太大的关系。相反地, 是因为只用了半边心去面对自己的工作。结果，就拼命驱使意识心不停地工作。我们一直以为，只要工作得让自己精疲力竭，就可以提高效果。然而，事实上，我们应该为这么拼命地工作，却无法提高效果，反而令精神疲劳感到"羞耻"。亚普登格夫所说的"半边心"，是指我们完全没有通过创造心发挥可以自由运用的无限力量的贮藏库，光靠意识完成所有的工作。

在本章中，你可以逐渐培养利用创造心为自己服务的习惯。这位仆人每天二十四小时忠实地工作着。当你学会运用这种伟大的力量，运用这种可以令你获得自由的无限智力泉源，你将可以拥有更多休闲和享乐的时光。

在别人眼中，能干的人好像并没有做什么事。

美国总统每年都有固定的休假期间，但是，每个人都知道，在总统的双肩上，扛着巨大的工作量。

大公司的董事长每年至少有两次休假，但大家都了解他们肩上的重担。曾经有一位优秀的公司干部说，自己所负责的工作，即使花费一年十二个月也无法完成，但他却能够在十个月内就将之完成。听起来会不会觉得不可思议？

如何向创造心发号施令

相信你已经了解到，如果创造心不接受，就无法顺利地完成你想要进行的工作。在此，我们要学习如何向创造心发号施令，以便更进一步充分运用创造心。

一、必须了解的是，创造心一天二十四小时不停地工作，可以令你获益匪浅，也可以对你不利。

二、你必须了解，你的创造心在为你工作。这是因为在你的脑海里，只存在积极的、富建设性的思想。

三、你向创造心所发出的指令必须明确。

四、让内心从烦恼中获得解放。

五、要有信念。

活用创造心的妇人的体验

曾经有一位妇人来找我商量她的问题。她已结了婚，但与先生的感情却并不理想。先生给她的钱并不充裕。而且，为了照顾小孩，她根本没有时间出去工作赚钱。所以，她认为我所提出的方法根本与她无缘。她认为自己已经没有任何希望，更可悲的是，她连想要学习，以便自我改善的时间都没有。

我告诉她，解决她问题的答案在她的创造心中，并告诉她，只要她能够信赖创造心，她就可以找到幸福。然而，她却固执己见，在谈了约一小时左右后，我对自己是否打动了她并没有自信。

六个月后，她又来找我，简直脱胎换骨，以致于刚开始时，我根本认不出与六个月前是同一个人。在她身上，根本找不到当时那个充满悲情的女人的影子。

原来，她认同了我的意见，认为自己的创造心中存在着解决自己问题的答案。也终于了解该如何采取有助于改善自己和先生之间关系的所有措施。也了解应该相信自己可以拥有漂亮的衣柜。也了解照顾孩子并不是问题。

那位妇人兴致勃勃地告诉我，如今，她的婚姻生活是多么愉快。

在她的衣柜里，有许多漂亮的华服。孩子们也不再是她的"麻烦事"，反而成为她的喜悦。在如今幸福的环境中，她看起来比第一次造访时年轻了好几岁。

如果我在以前的篇章中介绍这个事例，或许各位会认为我夸大其辞。但是，现在你应该了解到，这位妇人所获得的结果极其普通，而且是理所当然的事。

接受特别帮助时，对创造心的呼唤

现在，我将要向你传授在接受特别援助时，应该呼唤创造心的方法。只要多练习几次，这种方法就将成为你的一部分，即使不刻意要求自己，也可以轻易做到。你将可以自动地执行向创造心发布命令的一系列动作。

在你完全体会这项原则的重要性后，一定可以理解我在前面所提到的，那位能够将花费十二个月也不可能完成的工作，在十个月内完成的公司干部的谈话。他利用在游轮上或是在农场休假和休闲的时间，将他自己必须完成的重要工作交给创造心全权处理。你也将会理解，在你的生活中，必须同时注重工作和休闲。

以下就是当你需要从创造心获得特别援助时，必须遵守的项目。

一、放松。身心必须同时放松。不妨经常回到第四章，重温放松的技巧。因为，放松的确十分重要。

二、思考你的问题。虽然必须仔细思考，但不可畏惧。当你吩咐别人工作时，必须向对方说明你要他做的工作内容。要求创造心为你工作时亦是如此。因为，你要求的是一份特别的工作，所以，更必要向创造心明确地说明。之所以不可畏惧，是因为这种畏惧将传达给创造心，而且，创造心的智力远远超过

了意识心。

三、面对你的问题，你必须有成功者的态度。只要你信赖你的创造心，就一定可以保持成功者的态度。因为，你知道创造心随时乐意为你奉献。

四、当完成这一系列工作后，就将有关这个问题的所有思想都从意识心中消除。并静静地期待在适当的时候发现解决的方案。

具体方法

举一个例子。你明天早上十点有一个重要的约会，届时，你将要做出一个重大的决定。你必须唤醒创造心，帮助你做出正确的决定。到底该怎么做?只要按以上的方法进行，将问题交由创造心处理，并相信明天十点以前一定会有答案。

事情的结果一定会令你大感惊讶。第二天早晨，当你睁开眼睛的时候，该如何做，以及这么做的理由都已经浮现在你的意识中。其说明也非常富有逻辑性，根本不容许你有所怀疑。

我们借由图像进行思考

当我说"家"这个字时，你的心眼看到了什么?是"家"这个字吗?不，相信你看到的应该是家的图像。可能是你自己的家，也可能是朋友的家，或者是你梦想中的家。总之，你所看到的是某人的家，而不是"家"这个字。这是因为心是运用图像在思考，而非语言。

我们会将自己所见、所闻、所读到的所有东西都翻译成心的图像(心像)。换句话说，我们可以"看到"自己所听、所读到的所有事物。

　　你的心眼在组合映像和图像的同时，会不断地观察目的物的其他层面。例如，你肉体的眼睛看到一幢房子，你的心眼就会创造出这幢房子的内部图像，进一步补充原先的图像。这就是我们所说的想像。

　　阅读时，你肉体的眼睛不断追随印刷文字，但心眼却不断地创造出这些文字所表达的人或物体的图像。两个人即使看相同的文字，也不可能看到相同的心像。你所创造的图案类型取决于你的思想类型。

　　如果拥有积极的、富建设性、幸福的心，那你的心像也具有积极的性格。但如果你有一颗消极、悲观、灰暗的心，那你的心像也当然具有消极的性格。

　　由此，我们可以了解到，你的心像在经由创造心的加工后，成为你行动的准则。

 一分钟的你自己

练习问题

　　在进入下一章以前，不妨利用时间，练习让创造心为你服务。

　　将你所有的烦恼都一一写下，并一步一步地运用创造心寻求每个问题的解决方案。(每个问题一分钟。)

承认——认识——明示

　　在前一章，我曾要求你具备"我浑身充满了力量！"的思想，如果你切实加以执行，当你每次将这种想法说出口时，一定会感到无限畅快。在进入下一章以前，每天以一分钟练习数次以下的口号。

"我可以成为成功者!""我会成为成功者!""我是成功者!"早晨起床后，重复数次以上的口号。白天，只要一想起，就重复练习。晚上睡觉前，也不要忘记练习。这三句口号分别代表了前面所说的三个阶段。

"我可以成为成功者"是承认的阶段。你承认自己可以成为成功者。

"我会成为成功者"代表认识的阶段。你明确知道，你的正确思想将为你带来成功。而且，你已经决心要有正确的思想，所以，你知道自己会成为成功者。

"我是成功者"代表第三阶段，也就是明示的阶段。在我们表示自己是成功者以前，首先会认为自己是成功者。从拥有自己是成功者的意识的那一瞬间开始，你就已经是成功者。因为从那一刻开始，就已经知道成功是属于自己的。所以，当你知道自己可以成为成功者，自己会成为成功者时，就代表着你已经是成功者。如此，成功就会自动地出现在你面前。

DD 经过迷宫的经历后，对这部书稿简直奉若神明，这的确是件有趣的事。正如 BB 的评价，一只不知如何做好老鼠的家伙，竟试图做一个成功的人。真是不可思议，谁会相信?草包变英雄?那是童话里的事。可我们这儿不正有点童话的影子吗?如果这么说，DD 将来会怎么样就难讲了。

不过，不过，说了半天，您到底对这位励志专家的苦口婆心有什么感觉，不会还不如一只老鼠吧!

我声明，这句话绝非侮辱您的智慧，只是给您提点精神。

如果不喜欢，请删去。不过，我再唠叨一句，千万要对得起您买书的钱，认真点！

"事半功倍？还是省省吧。"BB不知何时来到DD身旁。"老弟，你真把自己当人看啦？"

DD合上夹子，他被BB说得有点不好意思，忙打岔问："老大，咱们是不是该行动了。"

"行什么动？"BB不耐烦地挠着后背。

"去迷宫找稿子呀！"DD激动地立刻就准备行动。

"找你个头，食物够我们吃一、两个月的啦，还着什么急！来帮我挠挠背。"BB说着转身把背堵到DD面前。

DD无奈地伸出爪子给BB挠背，可嘴里依旧嘟嘟囔囔，"老大，先找来不更好吗？"

"少废话，你懂什么？唉就挠这儿。"BB享受地缩着脑袋，接着教导DD道："你一找到稿子，食物也就出现。我们积的粮食太多，又没有地方保鲜，难道你想天天吃变质的食品？这对身体很不好，容易致癌的。可惜你读了人类那么多文字却一点脑子也没长，你真是一只菜鸟！"

"可，可……"DD依旧心有不甘，却又找不出理由。

"可，可什么，不就怕没有那鬼东西看吗!"BB一下揭穿了DD的那点私心。"你以为你没来前，我一直在睡觉啊。我找到的够你看到死的!"

"啊! 真的? "BB大喜过望。

"少废话，我要接着睡了，你别打扰我啊!"BB抬腿向书架下爬去。

"老大，我可以再问一个问题吗?"DD可怜巴巴地问道。

"你知不知道你很烦呀! 这是最后一个，说吧! "

"你刚才讲的菜鸟是什么意思?"DD这个问题出乎BB意料。

"菜鸟?菜鸟吗，就是，就是吃菜的鸟。"BB忙胡诌道。

"但……"

"但你个头啊! 我说过刚才是最后一个问题，闭嘴吧DD!"BB连忙打断DD的问题，一溜烟地消失在书架下。

"噢，吃菜的鸟?我吃菜吗?不想了，还是看书吧!"DD又翻开夹子。

他越来越觉得这些东西肯定是有用的。但真要做起来，的确并不容易。不过DD决定他要对自己发个誓，一定要做到。他相信只要发了誓言，一切都不会难倒他。DD那小小的两粒被人类倍加侮辱的眼睛中竟透出一股强烈的光。

我们是不是要讲一只老鼠受激励后变成了人的故事呢?我想这并不重要。因为，您除了关DD之外，其实也应该多关心一下自己。DD的来龙去脉都在他的掌纹上，不，是爪纹上。就像我们每个人的命运都在自己手里一样。

DD在天亮前睡了过去，这时BB先生刚好起床，他精力充沛地在窗台上做着一套广播操。体操的动作应该是对的，不过由 BB 这样一只老鼠做起来，就有一点变味了，多少像一个小偷在行窃。也难怪嘛，老鼠不就是贼眉鼠眼的吗！

无论您怎么看，BB 依旧有板有眼地做他的操。看来 BB 先生是很重养生之道的。除此之外，BB 先生的食量也很可观，吃相就不用看了。一切结束，BB 爬上书桌开始翻看报纸。报纸?哪来的报纸?旧报纸?

得承认是旧报纸，不过也旧不到那去，昨天的报纸。嘿！您肯定急，谁天天给送报纸呀！

先别急，这不怪我，只怪您不动脑子。您想，一大间书房没有主人?不可能吧?既然有主人，多几份报纸应该没问题吧! 可主人呢?别着急，还没轮到他登场呢! 您慢慢等着吧。

"这个王子都失踪一年了，还没找到。可惜一百万的奖金还在保险柜里发霉呢。"BB 对这条消息似乎特别感兴趣，不禁大声叫了起来。

"出什么事了?"DD 在睡梦中一骨碌爬了起来。

BB 这才发现自己的声音很大，不过他可不是一个容易认错的家伙。

"都什么时候了，懒鬼该起床了，我都叫了好几声了，你才听到，真是不像话。"这不，BB 反咬一口。

"你不是说什么王子吗?"DD 还有点迷糊。

"什么王子，快起来了。"BB 对付起 DD 来，唉，实在是想怎样就怎样。

DD 就这样很无辜地在 BB 一阵大叫中起了床。这些 DD 并不太在意，他只关注那些书稿。你看，他又看了起来。

第七章　至高的道

章名：认同自我的价值

一位意志消沉的年轻业务员在太太的陪同下，来到我的事务所。

那位太太认为我能够令她先生在工作上获得成功。

这位年轻人一表人材，接受过良好的教育，谈吐落落大方。但谈到推销商品，他就一筹莫展，他根本不敢去造访客户。所以，他打算辞去行销的工作，找一份有固定薪水的内勤工作。

虽然这位年轻人一副饱受挫败的样子，但他太太却很好强，她认为她先生只要进入状况，一定可以获得和业务员一样的理想收入。

在与这位年轻人交谈片刻后，我终于发现一个重大的结论。这位准业务员有一项根本性的缺陷，那就是他根本不相信自己。他完全不认同自己! 他认为自己就是失败者,他觉得自己的业绩少得可怜就是最好的证明。

四语公式

我向这位年轻人传授了四语公式，也因此使他从勉强得以温饱的地位晋升为公司的顶尖业务高手。

到底什么是四语公式?相信你听了以后，一定也会像这位业务员一样嗤之以鼻。当初，我为了说服他不妨加以尝试而费了九牛二虎之力。但如果你能够理解成为该公式基础的心理学知识，就不难理解为什么该公式具有如此神奇的效果。

我与这位年轻人的沟通过程中，我不断强调着"你就是你自己想像中的人"。正因为他一直认为自己是一位失败的业务员，所以就一直无法摆脱业绩垫底的命运。虽然他每天都做着像其他业务员一样的工作，但在他的内心根本没有期待自己的行销工作能够有所成就。

有时候，他会运气很好地遇到有人想要购买自己推销的产品，也就得以顺利地卖出商品。但是，这并非他的推销技术的功劳。所以他所抽取的佣金也无法令自己满足。

我要求这位年轻人保证在以后的一星期内，每天都必须不断告诉自己"我　是　伟大的　业务员"。他露出满脸的失望。坐在一旁的那位热心而又忠实的太太也拼命努力掩饰自己的失望。他们原来期待我能够传授他们一大串复杂而又繁琐的方法，而不是这种像迷信时代的遗物般的口诀。

但是，他还是执行了他对我的诺言。一星期后,当他再度前来诊断时，与之前简直判若两人。不再像以前那样浑身充满挫折感，取而代之的是一副毅然决然

我是伟大的业务员!

的态度。接着，他又向我报告，如今他的业绩不断增加，而且，已经超越了那些比他更早进公司的前辈。

四语公式的秘密

阅读至此，想必你能够了解为什么这个简单的公式能够发挥如此神奇的效果。该公式并非魔法，而是当产生"我是伟大的业务员"的想法后，创造心就当作命令加以接受。同时，创造心就以此作为行动准则，因而产生了新的精神。成功的思想在内心不断萌生，将挫折感一扫而空，开始努力思考该如何拓展自己的业绩。

一位在国内各地演讲的知名演说家在每一场演讲前，都会告诉自己"这将是我所有演讲中最精彩的一场演讲"。即使曾经多次听他演讲的人，也能够感受到他的演讲的确越来越精彩。而事实上，也的确如此！

这位演说家充分利用了创造心的援助，也充分运用了心理学上的原则。

自我认同的意义

在听众面前谈论自我认同的话题时，经常有人问我，自我认同会不会变成孤芳自赏、自我陶醉。回答当然是"不"。

很多人自叹自己缺乏才华。有人希望自己学会画画，也有人想要写书。也有人虽然喜欢音乐，但却叹息自己没有音乐方面的才华。你是否了解，想要做某事的欲求是告知当事人，其实他具备了实现这种欲求所必需的才华。有太多经验可以证明这一点。

有一位太太想要成为画家，但她了解自己根本不可能成为画家。因为她甚至无法画笔直的一条线。她的先生精通心理学方面的学问，于是，就买了一套色彩颜料、绘画工具、帆布、画笔和画架，作为圣诞节礼物送给了太太，并告诉太太——你在色彩方面具有令人惊讶的品味，所以，一定可以在绘画方面让自己乐在其中。而且，他还指出她在色彩的调和上，具备了许多直觉性的知识，从家具的布置上，也不难发现她很有协调的感觉。这位先生所做的一切，是让太太自觉自己具备了才华。虽然在刚开始时，太太的作品令人"惨不忍睹"，但也惊讶自己运用画笔和绘画工具的技术。如今，在他们家中，挂着许多太太创作的生气勃勃的绘画作品，每每受到访客的真心称赞。

一位年轻女孩认为自己很平凡，但当别人称赞她具有音乐才能后，果然成为一位优秀的钢琴家。一位在音乐方面有极深造诣的大师从她的自然节奏感和唱歌时的音调感中，发现她很有音乐的天分。于是，她就去买了一架钢琴，果然，在极短的时间内，她就弹得一手好钢琴。因为，她自觉到了自己在音乐方面的才能。

以前，曾有一位年轻男子因为有急用，所以准备卖掉自己的留声机和唱片。于是，他就写信给有可能购买的友人。那位友人不仅向他购买，还以赞赏的态度批评了他"我觉得你可以成为一位很棒的广告人员。因为，你能够用自己的想法去打动他人，你具有这种能力。"在此以前，这位年轻男子从来没想过自己会向广告界发展。后来，他果然听从友人的建议，向广告界发展，终于成为纽约一家规模巨大、生意兴隆的广告代理店的董事长。他之所以会在广告界成功，是因为自觉到自己具有这方面的才华。

本章阐述了有关自我认同的内容。自我认同是自觉自己所

拥有的才华的方法之一。

有位演说家谈到他第一次发现自己具有演说方面才能时的情况。在一次会员制俱乐部的聚会中，他必须向委员会提出一份报告。当他刚坐下时，俱乐部的会长就问他，"你以前是否想过你会在大庭广众下发言?"他摇了摇头，红着脸说没有。于是，那位会长告诉他，其实，他站在讲台上的样子很帅气，谈话的方式也很生动活泼，遣词用字也很得当等等。如果不往这方面发展，实在很可惜之类的话。

从那一瞬间开始，这位演说家才开始认为应该有这方面的可能性，他自觉到，自己可以在大庭广众下谈话自如。在这种自觉产生的同时，也就明确地认同了自我，于是，他就迅速成长为一位著名的演说家。

自我认同的五种方法

你或许会问"我怎样才能有自我认同的态度?"、"怎样才能发现自己具备的才华?"类似的问题都是非常好的征候。因为，我们对自己漠不关心的问题，对自己丝毫不感兴趣的问题不会产生任何的疑问。当你发问时，就代表已经自觉自己可以做得到。否则，根本不会想要了解自己到底该怎么做。

自我认同时，可以遵循以下五项简单的步骤。

一、了解自己的希望。确实了解自己想要什么。

二、欲望的存在，代表你具有才华。请回想一下本章前面的说明内容。如果你的欲望是想要成为作家，你就应该了解到，你具备了立刻成为作家的才华。如果你想要自己开公司，你就必须了解，你具备了完成目标的才华。

三、你是具备肉体的精神。这对你而言，并非新的思想。在本书后章中，将再度就此加以说明。

　　你之所以无法立刻接受本章中的内容，就是因为你以前从来都没有看过在做自己想要做的事情的样子。

　　我也承认，如果只有一条腿的人想要成为长跑健将的确有些不合情理。或是只有一只手的人想要成为拳击手也有一定的困难，但是，即使是有这些不利条件的人，也可能经由自己的努力，在一定范围内完成自己的目标。我认识一位身体严重麻痹的人。他的手脚都无法自由运用。他的一只手完全无法动弹，另一只手也是勉强才能动弹。但他很清楚地了解自己是具备肉体的精神，自己的思考没有任何的限制。于是，他设计了一个附有桌子的床。电话、便条纸、铅笔等工具都放在可以比较自由活动的手的附近。同时，还准备许多可以成为心灵衍生的道具。在床上的桌子与玄关之间，装了一套对讲机。当门铃响时，就可以自由地和外面的人交谈，如果想要让对方进来，只要轻轻一按按钮，门就可以打开。

　　只要精神活动，只要精神积极地思考，肉体就没有界限。由此，我们可以很轻易地发现，人类最大的不利条件在于消极的精神。

　　四、努力争取自己想要的比懊恼自己所没有的更加容易。年轻时，我的邻居是一位非常成功的人士。他在公司担任经理职务，每周有四百二十美金的薪水，令周薪只有二百五十美金的我羡慕不已。

　　每次经过他的家门前，心里都想，如果我有像他一样的收入，我就可以做许多目前的我力所不能及的事。但我却从来没有动动脑筋去想怎样才能增加自己的收入，我只想到一定需要更加勤奋地工作，需要很长的时间才能拥有像他一样的地位。

现在，回顾当时的情况，才发现当我认为自己没出息，却又没有任何具体行动时，反而比全力投入富建设性的工作，体会从工作中获得的满足感更加辛苦。

第四步骤，必须了解在自我改善时，最困难的就是必须朝着这个方向努力。即使看起来是多么微不足道，只要下决心踏出了第一步，就可以发现自己正一步一步地走向成功，无论在精神上还是肉体上，就丝毫不会以此为苦。

五、立刻踏出你的第一步。当阅读守本章后，我极力建议你立刻将书放在一旁，思考一下本章对自己的意义。你的精神一定处于亢奋的状态，因为，你已经看到一个获得巨大成功的全新人生在你面前展开。

一分钟的你自己

你已经下定决心，一定准备要有所行动。你想要努力使自己的人生走向成功。你正在努力把握自己的幸福。

通常，以上的"准备要""想要"和"努力"代表积极的意义，但仔细体会，你就会发现，这些字眼都代表着还没有到达的状态。

假设你在狗的项圈上绑一根棒子，再在棒子的一端系一根骨头。虽然狗会拼命追那个骨头，但由于那根骨头与狗的嘴保持着一定的距离，所以，狗永远都追不上那根骨头。

当你准备要做某件事时，或许你的意图并不坏。但"准备要"的字眼未免太过于漠然，可以代表一星期或是一个月、一年，甚至可能是好几年。当然也就很有可能变成遥远的将来，也就代表着不可能。

我之所以建议大家在阅读完本章后，将书放在一旁，就是要求你将"准备要"的字眼改成"现在就要"。

在继续阅读下一章以前，你必须向自己的目标跨出第一步。这一步不一定需要是一大步，只要让自己了解自己已经有所行动了。

现在，请在决定之前，闭目一分钟想一下你马上要采取的行动……好！现在开始行动！

我的故事

有一次，一位年轻男子告诉我，他认为自己根本没有办法存起钱来，也对自己无法有一大笔金钱可以"为所欲为"感到沮丧。于是，我拿出一个装名片的盒子，用胶纸将盖子黏起。然后，在盖子上面开了一个细长的孔，再写上"存钱筒"三个字。然后，我又向他要了一枚硬币，他给了我五美分的硬币，我就立刻将这枚硬币放进盒子，再将盒子交给他，意味着他已经开始存钱了。这个微不足道的动作，使他开始养成了新的习惯，之后，他终于很快地就"很有出息"，还买了房子。

你的最后一步就是从现在开始。如果你有时间打电话或是写信，还不如现在立刻开始行动！这也将成为你出发的起点。

希望你能够记住——在你完成本章中的建议之前，绝对不要继续阅读下一章。

这一章对DD来说有些麻烦，他绝对不好意思在BB面前宣称自己是一只伟大的老鼠。不过，他现在至少不会承认自己是只一无是处的草包老鼠了。但不管怎么说他具有越来越多的兴趣都与一只老鼠的品味背道而驰。

一只老鼠应该是什么样呢？

看一看我们优秀的榜样BB不就一目了然了吗？

"这有什么不好,吃了睡,睡了吃,没得吃就干活。这是我们做老鼠的至高的道啊!"BB的言论依旧在耳,"看那些破书讲如何如何,真不如忘掉一切如何如何,对酒当歌,人生苦短啊!"咦!BB似乎也不是个不学无术的家伙。

生命就是这样,有许多种选择。可以励精图治去做一场轰轰烈烈的大事业,也可以小富既安在匆匆的红尘中偷闲把盏。无论哪一种,只看你是否真的认同这就是你人生最正确的态度,甚至死而不悔。那么,你怎么做都无所谓了。这一类人本来就是稀少物种,众位也不用自卑,一个肯到书中寻求解决之道的人,也绝对是高智商的。书中的经验只会让大家少走许多弯路,而文字的力量又远远胜过说教。

我们所做的只是帮你一步步系统化地整理思路,最终确定人生的态度与目标。当然,这是仁者见仁,智者见知的了。不过如果你对所谓成功,所谓自我价值的现实没有一个明确的标尺的话,一切又如何评价呢?

DD的不自信正来自于这点,他不知道自己要做什么?做到什么程度才算成功。因而他迷茫、自卑、懦弱。BB却正相反,虽然他内心肯定隐藏着一些东西,但他至少对目前的目标与标准心中有数。

BB又一次醒来,他爬上窗台做完那套古怪的体操,啃掉一块面包后,并没有睡觉。BB瞄了眼埋头看书的DD,便吱溜一下从书房门缝钻了出去。

这一切,DD都毫无察觉,他正仔细地读着第八章。

第八章　一种老鼠的新幸福生活

章名：如何支配自我

"了解自己"是一句最常用的话。无论作家或是演说家都会大肆引用，每个人都强调了解自己的重要性。

但是，了解自己也带有消极的一面。因为，了解自己代表着同时了解自己的优点和缺点。大部分人在认识自己的同时，会认为维持现状就好，容易陷入"我就是这样的人，有什么办法"的想法。

支配自己代表着何种意义

当你开车时，会觉得自己完全控制了汽车。只要你操作正确，车子就会顺利地行走。车子会按照你的意志向前进、向后退、右转、左转。当车子完成你交给它的使命，你下了车后，它就不再动弹，直到你再度开车为止。

支配自我其实就是向肉体发出命令。简单地说，能够支配自己的人从来不会产生"这个、那个我做不到"的想法，因为，他知道只要自己想要，自己就一定可以做到。

"希望"和"了解"的不同

在我课堂上的提问时间内，一位女学生曾经问了我这样的问题："当你想要做某件事，但又明确了解自己无法做到时，该怎么办？"

"你是否可以将问题说得更明确一些？你想要做的到底是哪一方面的事？"

于是，她回答说，"我想要成为作家，但我知道自己根本不会写作。"

我问她，"是不是有人曾经告诉你，你根本不会写？"

"没有。但是，我根本不具备这方面的才华。"

"你以前是否曾经写过东西？"我以略带开玩笑的口吻问她。

"这有什么关系吗？"她满脸的疑惑。

于是，我花费了三十分钟的时间向这位女学生(当然还有其他学生)说明了，如果她真的想要写作，她完全可以做得到。

距离那次课堂约半年后，那位女学生的创作品已经开始受到社会的好评。而且，正一步一步地成为一位优秀的作家。

她不明白，其实是她自己在抵抗想要写作的冲动。虽然她想要写作，但却断定自己不会写。如果我只是命令这位学生，"你一定可以写作"，对她没有丝毫的帮助。只会让她拼命"搜集资料"，证明自己真的不会写作。

当产生自己能够写作的意识时，就会激发她想要学习词汇的用法及其含义等方面的干劲。也使她的文章表达方式更加优美。播在大地的种子，会从土地和大气中吸收植物或树木必要的要素。播在人类创造心中的思考种子，也会引导我们执行必要的手续，以达到内心所描绘的目标。

刚才那位女学生到达了了解能够写作的意识状态。这种思考的种子引导她完成了自己的目标。

支配自己的四大步骤

只要你能够遵守以下的步骤，就可以简单地支配自己。

第一步　想要支配自己时，第一个步骤就是必须懂得尊敬自己。任何失去自尊心的人，都无法成为自己的主人。

也许，你从来没有想过要原谅一个人——这个人不是别人，正是你自己。或许，当你听到要原谅自己时，会觉得有点不可思议。但是仔细想一想，你的身体就和别人的身体一样，都只是人类的一部分而已。如果原谅别人是正确的行为，那么，原谅自己也同样是正确的行为。

为了认识这第一步的重要性，在此引用我曾经收到的一封信。

"当听到你提出应该原谅自己时，我感觉到似乎是上天给我

的福音。我在年轻时，曾经作恶多端……随着年龄的增长，我也体会到自己行为的愚昧，彻底洗心革面，也有了正常的工作和收入。在听到你在广播上谈论应该原谅自己时，令我感到耳目一新。我才了解原来我一直都很轻蔑自己。在刮胡子时，从来不敢正视镜子中的自己。后来，听你谈到，既然我们可以原谅别人，为什么不能原谅自己。

如果当时你在我身边的话，我一定会毫不犹豫地冲上去拥抱你。我切实感受到，这番话给我因为自我厌恶而急速分解的肉体正注入新的生命。

我原谅了我自己。然后，祈求上天帮助我遵守我许下的诺言。上天听到了我的祈祷。从那一天开始，我时来运转。我在公司内一下子连升几级。

现在，回忆起当年的所作所为仍然会令我感到羞愧万分，但我对这一段过去也充满了感激。我之所以能够拥有今天的一切，是因为我将过去的错误转化为幸福。

再谈谈我的婚姻，一直以来，我都无法成功地说服我女朋友，然而，最近，我终于赢得了她的尊敬和爱情。我们获得了至高无上的幸福。我们将永远对你感恩不尽。"

第二步　如果你继承了一家经营并不顺利的企业时，首先你会做什么工作?想必会学习有关该企业的所有方面。对事业的消极面——导致企业亏损的状态，也会产生很大的兴趣。然后，着眼于积极的方面，研究如何才能增加企业的活力。在这一系列的研究后，会决定该如何尽可能减少消极面，扩大积极的方面。

如今，你正在努力支配自己，所以，你也可以按照以上的方法进行。了解自己个性中的消极面，并建立改善的计划。与此同时，了解自己的积极面，并努力增加。

所以，第二步，你必须自我分析。也可以将自我检讨的结果写在纸上。拿出一张纸，在中央部分画一条线。在线的一侧写上自己消极的特质——也就是一五一十地写下自己想要减少、消除的特质。如果感觉自己胆怯、害羞，就可以老老实实地写下来。如果在为某件事烦恼，也可以写下来。如果某种习惯妨碍了你的进步，就必须在自我分析表的消极栏中记录这种习惯，以便在支配自我时能够加以控制。

如果认为自己缺乏说话的技巧，也必须写下这项事实。如果喜欢羡慕他人、嫉妒他人时，就必须加以改正，所以，也必须记录在自我分析表上。另外，如果自己好与别人争论、整天抱怨或是很自私，缺乏公平、正直的态度——当发现自己有这些性格特征时，一定要钜细靡遗地写下来。

或许，你并没有以上列举的缺点。这只是举例，以便更好地加以说明。重要的是，必须将自己的缺点完全记录在消极栏内。

在写自己的积极面时，想必是一件轻松愉快的事。在脑子里回想一下所有令自己喜欢的特质，并将之记录下来，认识自己的优点绝不是利己主义。你正在努力支配自己。记录自己的优、缺点只是必要的手续而已。

如果你具备了优秀的气质，不要客气，尽管写下来，如果你具备了某项大有希望的特质，不要犹豫，立刻写下来。就好像你刚才苦思拼命"发掘"自己的缺点一样，也要努力找出自己的优点。

我的意图并不是要求你们写下所有优、缺点的名称。而是说，当清单上有足够的"项目"提供分析时，你就可以在脑海中描绘出自己的"形象"，就可以为支配自我做好进一步的准备。

第三步　在遵循第二步的方法后，你一定可以发现一个新事实。你会了解到，原来自己并不是太差劲。虽然有许多讨人厌的特质，但还有许多积极的特质可以与之"抗衡"。

不要想一口气吃成大胖子。你有今天的成就，也是花费了多年的时间。所以，想要改变自己，当然需要有一定的时间。

第四步　在进行前面三个步骤的同时，也可以执行本步骤。为了使自己能够产生支配自己的意识，必须在每次思考这个问题时，对自己重复以下的内容。

"我是我的思想，我的行为的主人。"首先，必须将所有精力都投注在消极栏中。因为，只要克服自己身上的消极的因素，就等于提高了自己积极的因素。

仔细审视消极栏中的各个项目，决定要从哪里着手。必须量力而行。或许有人能够一次全部改正，但如果自己不具有这种自信时，就应该首先从中选择几项，循序渐进。在下定决心要消除自己的消极面的同时，就绝不能退缩。要下定决心，"不获全胜，绝不收兵"。在成功地消除第一次所选择的消极因素后，就必须选择第二个目标。

在努力消除消极面的同时，也可以加强积极面。选择一或两个积极项目，努力加以"助长"。同时努力对自己说道："我掌握着自己的未来，我的未来光辉灿烂。因为，我所做的一切，都是为了能敬获得健康、繁荣和幸福的未来……。"

当你对着自己不断重复这段话时，你将可以体会到，自己的体内涌现出来某种不可思议的力量，就可以很轻易地完成我在第一步骤中所提出的建议。你会发现，自己可以顺利地进入了解"自己是肉体的主人"的状态。

一分钟的你自己

如何运用目标清单

列一份你的目标清单。不要光阅读纸上所写的内容，应该想像自己已经实际拥有其中的每一项。如果你的目标是关于肉体，就在内心描绘出自己享受着美好的健康的样子(一分钟时间)。

如果你的目标是物质，就想像一下自己正享受这些目标的样子(一分钟时间)。你将会惊讶这些目标其实并非遥不可及。观察有关这一点的自然法则，的确很耐人寻味。你好像在一只无形的手的引导下，一步一步地实现着自己的目标。

一位曾经听过我在大学授课的学生写给我一封信。"我听老师的课差不多快一年了。昨天晚上，我看到在入学当时，老师要求我们写的目标清单。我惊讶地发现，除了一项以外，几乎都已经付诸实现，而且，这最后一项也已经实现了一大半。当初在写这些目标时，我觉得其中的大部分目标简直无法实现，甚至根本不想将这些项目写在清单上。"

一位年轻的妇女来到事务所告诉我，虽然我的理论十分精彩，但却毫无助益。她说，自己曾经有过无数希望，但除了极少数必要的内容以外，几乎从来没有获得过任何自己想要的东西。她不知道，在她所说的这句"曾经希望"的话中，就已经透露出她失败的理由。她说她曾经有过很多希望。我告诉她，除非她到达能够了解自己已经亲手掌握了这些目标的意识状态，否则，根本不可能有所获得。她的脸上似乎又有了活力，回答说，或许正如老师你所说的。"其实，仔细回想一下，以前，我都知道会发生这种那种的困难。从今以后，我要开始知道自己是一个成功者。"一年后，这位年轻妇女到处告诉她的朋友，自己知道如何达成自己愿望的方法。而且，她也确实得到了以前只存在于梦想中的一切。

继续阅读本书，你将会了解，你的思想会对你周围的事物产生多大的影响——对你产生多大的影响。你也将了解由于引力法则的作用，你的想法将吸引你所看到的东西，无论对象是好或是坏。

这一章让DD有些惶惑不安，他突然意识到自己永远也不会成为一只传统意义上的优秀老鼠。这一点其实他早就知道，但一直不想面对，而此刻他却不得不真切地感到这个事实带来的痛苦。

DD不再想看书了，他麻木地爬下书架，来到储放食物的地方，漫不经心地啃了起来。其实他并没有吃东西的兴趣，虽然已经很久没有进食了。他只是想改变一下状态，丢开那个让他心烦的想法，但这似乎很难做到。

"喂，你也吃东西呀！"不知何时BB来到DD身边，"我以为只要读那鬼东西就可以让你活下去了呢！"

DD抬起头，第一次很专注地盯着BB问："我是不是永远成不了一只好老鼠？"

BB让DD的忧郁的目光搞得有点不知所措，"喂，你没问题吧，那鬼东西让你发疯了？"

DD依旧执着地问着同一个问题："我能成为一只好老鼠吗？"

BB一看DD来真的了，也不敢再胡说八道："DD，什么是好老鼠？像我吗？你当然不可能成为我。因为，我BB只有一个。而你DD也是唯一的。其实，无论做鼠、做猫、做人，做……做什么也好，只要让自己开心就好吗！"

"可我一点也不开心！"DD 依旧不依不饶。

做你自己吧！只要开心就好。

"喂，老弟，你读那鬼东西的时候不是很开心吗？"

"可一只老鼠是不应该老在读书的。"

"谁告诉你的？你这个白痴，如果你一定要按人说的去做的话，也许你能成为一只好老鼠，可你一定还是不开心。去做你开心的事吧，宝贝。"

BB 说完头也不回地钻回了他窝里。

DD 傻傻地呆了半天，突然又高兴起来，"管他呢，也许我能开创一种老鼠的新幸福生活，这就是创造心吧。"

DD 终于抛开了烦恼。他精力百倍地窜上架子，打开了黑夹子，噢第九章。您是不是有些期待他了。

第九章　房主人的诱惑力

章名: 你内心的标尺

当厨房的每个煤气炉都在用，而一位厨师基于某种理由，必须立刻做出其中的某道料理时，一定会加强那个特定锅子的火力。在第三章中，曾要求你一一写下你的目标，描绘出自己想要的"未来图"。现在，你基于某种理由，急于实现某个特定的目标。这时，你一定想了解该如何加强这个目标的火力，以便提早实现。

防止失败、创造成功的内心标尺

在这一章中，我想要将一项可以成为你最贵重的财产之一的道具交付给你。我称之为内心标尺。你也可以称之为魔杖。总之，当你想要做什么事时，只要运用这个道具，就可以确实减少失败的机会，同时，无限拓展成功的机会。

我刚开始在纽约广播电台做广播节目时，我也曾经谈到过内心的标尺，有一位读者曾经写信来说，如果他十年前就知道这项原理，一定可以更加有钱。他用内心的标尺去衡量以往的事业时，很清楚地了解到自己为什么会失败，也懂得了该如何防范失败。

所以，当你阅读完本章后，不妨用来验证你以往所做过的事，相信你就可以体会到其价值。也可以立刻了解为什么能够成功，以及为什么会失败的原因。当你了解自己掌握了成功的手段，可以解决任何困难的问题时，你一定会感动万分。

内心标尺的三个方面

如果你是工程师，要设计一座横跨河川的大桥时，首先会进行什么工作?一定会想要了解现场的所有状况。为了了解河川的宽度，会想要开始进行测量工作，为了建造桥墩，也需要了解桥的两侧的地质情况。除此之外，还需要了解水深、河床的状态，以及是由泥还是砂构成的。在掌握所有这一切状况后，才能开始准备设计大桥。

本说明是内心标尺的基础。

内心标尺由三个部分组成，换句话说，具有三个方面。

内心标尺的第一方面就是你的目标。

第二方面是你与你达到目标之间所存在的抵抗。

第三方面是突破抵抗，使完成目标付诸实现的行动计划。

如何运用内心标尺

目标 如果你对自己的工作感到不满，想要换一个更理想的工作，就要明确这一点，了解自己到底想要哪一种类的工作?

想要进哪一种类的公司?当你可以想像自己生气勃勃地在那里工作的情形时，你的内心就会描绘出你想要从事的工作的图像。

如果你的目标是想要拥有自己的事业，首先必须明确自己想要的到底是怎样的事业，是制造工厂?批发业?零售店?还是其他。你必须在内心描绘出自己想要拥有的事业。

如果你的目标是买房子，必须在内心正确地绘出家的样子。

你想要交朋友?那就以此为目标吧。但也必须要明确自己到底想要交怎样的朋友。相信你想要拥有的是在音乐、文学、兴趣方面志向道合的朋友吧。

抵抗　当拥有自己的目标后，其次就要列举存在于你与目标之间的所有抵抗。不仅要在内心思考，更要写在纸上。如此，你就可以明确了解自己的问题所在。也就准备好向内心标尺的第三个方面，也是最后一方面前进。

行动计划　明确制定目标，并列出存在于自己与目标之间的所有抵抗后，就可以建立有效的行动计划。

当你在追究失败及其原因时，一定会发现自己忽略了这三方面中的一个或两个方面，通常都是忽略了第二方面的情况。在拥有目标并建立了实现目标的行动计划后，如果没有考虑到可能妨碍行动计划实施的所有抵抗，就会出现意想不到的"状况"，影响原计划的进行。如果能够事先考虑到所有的抵抗，行动计划也就更加周全，当产生抵抗时，就可以随时注意到。

大目标与小目标

有时候，目标太大，很难在内心描绘出完成目标的样子。例如，有人想出一项厨房用品，可以为每个家庭都带来不少方便。

他的目标是想要将这项产品推向全美国。这位发明者或许会在内心描绘出自己的产品在美国每家商店贩卖的情形。但如今，他只有对产品的初步构想，如果要考虑工厂、机械、原料之类需要巨额资金的问题，的确需要极大的想象力。不仅如此，还需要巨额的宣传费。这时，就会发现目标膨胀得极其巨大。

　　在这种情况下，一般人很难运用内心的标尺。建立行动计划也是一项非常困难的作业。因为，完成目标就好像在爬一座望不到顶端的山一样。面对这类问题时，不妨将大目标分成数个小目标后加以思考。将最初的目标视为大目标，然后，进一步分割成一连串的小目标。

　　目前，我在洛杉矶海岸地区撰写本书，不妨以此地为出发点加以说明。拿出全美国的地图，你就会发现，整个洛杉矶地区与美国全国相比较，显得十分微不足道。

　　好。首先，我们以开发洛杉矶地区作为第一个小目标。这比开发全美国要简单容易得多。在这个小市场内，你可以充分说服地方的制造业者投入制造该产品的行列。至少，可以无需亲自购买机械。或许也可以找到愿意投资小额资本的赞助人，就可以利用这笔钱进行地方上的宣传。你可以发现，达到这第一个小目标并不困难。必须注意的是，在面对小目标时，也必须抱有与面临大目标时相同的态度。在完成这个目标之前，你必须将所有精力都投注在这惟一的目标上。必须思考有关这个小目标的抵抗和完成目标的行动计划。

　　接下来，你的目标可能是加利福尼亚州，你已经有过这方面的经验，想必难不倒你。但是，必须牢记的是，每个小目标都应该视为该阶段的大目标，认真地对待、处理。

　　第三个目标应该是西部三州。然后是洛矶山脉以西的地区。

然后再向密西西比州前进，逐渐推广到各州，最后，就可以达到全国性的规模，也就完成了最初的大目标。

完成目标就像爬山，要将大目标分段，切实地一段一段去做。

美国许多大公司都曾经有过类似的历史。例如，比克斯·巴波拉普公司(译音)的发祥地是乔治亚州的亚特兰大市的一个小小的厨房。最初的市场是对面三家邻居。如今，该公司的产品已经渗透到世界文明国家的每个城镇。

以前，有一位女子虽然很喜欢弹钢琴，但却从来不敢尝试在众人面前演奏，因为，她觉得自己根本无法在事先进行如此"工程浩大"的练习。

于是，她的钢琴指导老师就告诉她关于大目标和小目标的原理，将弹得一手好钢琴作为大目标，每次的练习视为小目标。

当指导老师问"你只要专心每次的练习。你会觉得困难吗?"时，那女子当然回答"不"。她也认同确实完成老师在课堂上所指导的内容并非难事。

老师忠告她，暂时只要考虑每堂课的内容，不必在意以后的事。只要考虑如何切实完成每堂课的内容。

几个月后，她终于露出了会心的微笑，说"虽然我也知道这好像是在骗小孩子。但是，老师的计划的确有效果。我在音乐上也有了惊人的进步。虽然对他人来说可能不以为然，但却令我乐此不疲。"

一分钟的你自己

半山腰的路标

阅读完本章后，你已经到达掌握人生的黄金秘诀之旅的半山腰。如果就此停滞不前，其价值当然很难转化为金钱。——我希望你能够边读边思考。

我不会满足于平凡的成果。我希望你能够拥有本书所提供的所有价值。所以，在此，我要提出一项非常重要的提案。

在继续阅读后面几章之前，必须再重新将第一部的内容复习一遍。首先，从第一章开始，在读完第一章后，闭上眼睛，尽可能回忆出所有学到的内容。然后，再重新阅读一遍。慢慢地、仔细地阅读。虽然在第一遍复习中，已经学到了相当多的知识，但你会欣喜而又惊讶地发现，复习第二遍时，你将更上一层楼。

然后，以相同的方法复习至本章。你越热心地投入，你的收获也将更加丰富。接着，以展望丰富人生的热忱态度迎接本书的下一章。

"我做得到！"这简单的四个字中蕴含着无穷的力量。

第九章对于与DD一样心存困惑的天才读者们来说，的确是个不错的计划。按步就班地设计一下你们的理想吧！哪怕它看起来多么荒谬，多么不现实，但如果你了解了DD的计划，你就会发现你的疑虑未免太多了。

DD的计划是此时开始，他将向成为一个人的目标挑战，噢等等，怎么可能呢？一只老鼠想变成人？

"不，我只希望拥有像人一样的智慧与能力！"

DD都这么说了，你还等什么呢？

我想拥有人一样的智慧和能力!

DD 不再埋头于黑夹子里了,他开始翻阅其它一些书籍,甚至开始看BB的报纸。

而BB依旧乘着夜色溜出书房。他在做什么?DD却一直没有察觉。

直到有一天,DD在报纸中惊异地发现了许多勾点过的地方,什么"黑巫师与白巫师的世纪对决",什么"两大家族最后传人的宿命之争","失踪王子成为千年疑案"。天啊!这是份什么报纸?为什么被勾点了那么多黑道?DD茫然地看着这些古怪的文字。

"BB,BB老大,你来看看这些。"DD喊着爬到BB的窝边,却发现他不知哪里去了。

DD这时才模糊记得BB好像出了书房。"啊!他出书房干什么?"DD这才意识到BB这几天神秘的行踪背后可能隐藏着什么!他先是生气BB背着他做事,接着又担心起来,"BB不会出什么事吧?"DD这么一想,立刻决定去找BB。

DD钻出书房,看见一条长长的走廊。他小心地顺着墙角爬着,心中却紧张地盘算如何找到BB。

"对啦,BB找我时不就用嗅觉吗?我也试试。"DD忽然想起这招,忙把鼻子拱在地上四处嗅着。DD是只老鼠,他当然具有老鼠灵敏的嗅觉,只是他从未用过罢了。DD专心地嗅来嗅去，他很快发现了一个奇妙的天地。这座房子中除了他和BB的味道外，还有两种味道。DD知道其中一种是房子主人的，因为他见过这位先生进出书房，而另一个带着某种莫名强大的力量让DD四条小腿直打颤。"天啊! 这是什么东西?"

DD赶忙寻着BB的味道匆匆离去，但心依然狂跳不止。

DD 追踪 BB 的味道来到了楼道尽头一扇透出灯光的门外。

他听到屋中有人在念着什么。这个声音BB知道是那位房主人，而更吸引人的是，主人谈论的正是他所急于找寻的那一部书稿的第十章。

第十章 门砰地一声打开了

在本章中，想谈谈关于"交谈"。希望你能够想像此时此刻，我正和你促膝相谈，谈论如何创造富有魅力的人品。

或许，有人认为想要在短短几页的篇幅内谈论人品这样一个意义广泛的主题，是一项非常艰巨的工作。

想必各位都知道，装种子的袋子很小，可以装在口袋或皮包内。但是，可以用这个袋子内的种子，创造出一个鲜花盛开的大花园。你也可以视本章为装种子的袋子。但是，其内容是思考的种子。只要正确地种植、栽培，就一定可以盛开光芒四射的魅力之花。

什么是富有魅力的人品

首先必须了解，什么是富有魅力的人品。正如各位所了解的，当我们想要建造一幢房子时，如果没有明确的概念，就根本不可能着手建造。只有在了解明确概念的基础上，才能建立工作计划。

虽然无法用肉眼看到什么是富有魅力的人品，但却可以感受到你必须牢记——富有魅力的人品与你个子高、矮，身材胖、瘦，个性沉闷或外向都毫无关系。随着本书的进

展，你将会了解到与个人的肉体素质毫无任何关系，每个人都可以拥有富有魅力的人品。

在你认识的人中，是否有在相处时会令你感到浑身不舒服的人?这种人或许教育程度颇高，衣着也可圈可点，在经济上也不虞匮乏，但是彼此相处时，总感觉有某些令你不愉快的要素。你或许不了解其中的原因所在，但就是无法和他长久交往。在和他分开时，总觉得好不容易松了口气。相反地，在与有些人相处时，心情总是那么愉快。或许，你也搞不清其中的缘由。他在教育程度上或许不如他人，以世俗的观念来看，也并不拥有什么财产。但是，和他在一起时，总是那么愉快、舒畅。到底是什么原因?理由只有一个，后者具备了肉眼无法看到，我称之为富有魅力的物质，而前者并不具备。

人格与健康的关系

肉体的健康对富有魅力的人品并没有太大的影响。健康的确非常重要。但你也将会发现，随着人格的成长，健康也会获得改善。当你在自己身上运用富有建设性的自然法则后，将会使你的全身都更加年轻。

于是，你做任何事都会考虑到身体的健康、力量和活力从现在开始，你就会像是从尘土中重新站起来的不死鸟一样，充满力量、活力和魅力，是一个充满幸福的、全新的自我。我是否唤醒了你的想像力？你是否已经看到了新的未来在你面前展开？

如何才能加以掌握

我要向你证明，本章绝不是几页单纯的印刷品而已。并要向你证明，本章是引导你走向新世界的护身符。以前，你一定看过许多书——许多精彩的著作。每一本书都为你的精神仓库增加了不少新知识。这只是如此而已。但本章却完全不同。如果你没有想要从本质上改善自己，想必你不会购买本书。如果不持续具有这种欲望，想必不会"撑"到本章。所以，随着你的阅读，你所阅读的内容将成为刺激你获得目标的能量来源。

每个人都会给与自己接触的人留下印象。但是，人品分为两种类型。一种能够吸引他人——也就是魅力。另一种是引起他人的厌恶。

人品的这两种类型是通过意识心在创造心中所产生的思想的不同所产生的。所以，你将了解到当你热切希望自己拥有魅力的人品，接受自己必须遵守的思想，可以轻易地获得富有魅力的人品，不久，这就会变成一项坚定的事实。

由于我在前面的描述，一定让你非常向往富有魅力的人品，你一定觉得需要花费数星期、数个月，甚至数年的奋斗时间才能达到目标。如果你真的这么想，那么，你将会体验非常令人欣喜、令人惊讶的经验。在此，我们来讨论一下，想要创造或毁灭富有魅力的人品需要具备哪些的要素？你必须了解，本章是为你而准备的——只是为你所特别准备的。

怯懦　怯懦和内向是影响富有魅力的人品的负面因素。但只要理解原则，消除怯懦就易如反掌。

一般来说，怯懦是在我们幼年时代产生的心理状态。父母在孩子的心中种下怯懦和内向的想法，当创造心接受这种想法后，就会成为一辈子的记忆。在怯懦的人了解将消极的想法转化为积极的想法的方法以前，这种记忆会一直存在。

每当你认为自己胆怯时，就等于在教育自己的创造心，要求创造心在你的身体内创造出胆怯的状态。相反地，当你告诉自己"我很大胆"时，就等于在教育创造心，在你内部创造出大胆的状态。如果能够得到你的谅解，我想警告你——在你运用这项原则时，绝对不要去在意结果会怎么样。你只要了解这就是你要做的。虽然你无法观察种子变成植物的成长过程，但你一定知道，只要播下种子，正确地加以栽培，就一定可以成长为植物。我向你传授的这项原则，就像数学法则那样，属于基本性的东西。只要你在自己的内心种下积极的思想，并努力加以维持，就可以像鲜花盛开的植物那样，消除你的胆怯，萌生勇气和力量。

在谈论怯懦时，我并不主张你要培养与之相反的特质——也就是大胆的特质。你必须要创造一种在与他人相处时，能够令对方感到舒适的状态。由此，你不仅可以获得自尊心，更可以赢得所接触的人的尊敬。

不安　你是否遇见过一个内心充满不安，但同时却又是一个拥有有魅力的人品的人？至少，我从来不曾遇见过。因为，这两者水火不相容。所以，我们必须考虑，如何消除不安？不安会使精神处于麻痹状态，结果，即使你想要克服引起不安的状态，也根本无能为力。

如何克服不安?其实,方法简单得出人意料。在学习创造心的功能后,你应该了解,当你拥有不安的想法法后,会使这种状态更加严重,自然不仅不会帮助你加以改善,反而会进一步恶化。所以你必须,也可以像克服怯懦一样,克服不安。当不安的想法钻入你的脑海时,就尽量不要去想这件事,必须了解不安会造成的危害。

当你了解自己的坚强和力量正在不断增强后,就会觉得面对造成不安的原因根本无所畏惧。

烦恼 我想请教你一个问题,烦恼会怎样糟蹋富有魅力的人品?你是否会想要与满脸愁容的人交朋友?但我不希望我的这个问题引起你的误解,我不是个冷漠无情的人,也并非缺乏同情心。我只想要告诉大家,烦恼根本于事无补。

我曾经认识一位在财务上"穷途末路"的男子。当时的状况似乎只有奇迹可以拯救他。但是,他仍然对自己充满信念。他知道,只要自己采取勇敢和坚决的态度,就可以获取胜利。他丝毫不让别人察觉到自己的困难,只是一味做着自己该做的事。终于,他克服了一个又一个的障碍。现在,他已经可以看到自己充满幸福的未来。想像一下,如果这位男子将所有时间都耗费在烦恼上,将会有怎样的结果。相信他会活在别人的同情下,除了自虐性地陷入烦恼以外,一事无成。所以,你应该同意我的见解,烦恼只会给你带来危害,为了你的幸福和富有魅力的人品,你应该消除所有烦恼。

自怨自艾 现在我们将要讨论一个有一定难度的问题。大部分人或多或少都会有自怨自艾的倾向,但却很少有人愿意承认这个事实。幸好在自我分析时,不必在他人面前承认自己的发现。就好像大部分怯懦都是在幼年期间形成的一样，自怨自艾也是年幼时形成的特质。当小女孩受到些微皮肉外伤时，总是夸大其辞地表现出怜惜之情的母亲，其实已经在不知不觉中，将女儿塑造成一个自怨自艾的女人。

当你和一个不断地向你倾诉痛苦、不安，不断想要你为他掬一把同情之泪的人在一起时，你会感到快乐吗?我不认为如此。你一定会想要尽快逃离他的身边，让自己松一口气。在此，不妨反省一下，你自己是否曾经对他人造成类似的困扰?能够为别人带来快乐比赢得别人同情要好上数千倍。相信你也认同我的见解。

在经济不景气时，一位业务员由于工作不顺利，开始对自己自怨自艾，某天，他来到我的事务所。当时，他已经完全没有工作，连一份订单都拿不到。于是，我问他，当他拜访客户时，话题是否经常谈论时下的不景气。他看着我的脸，回答说:"没错，当客户问及时下的景气如何时，我不可能说谎，明明根本没办法拉到一笔生意，还向客户吹嘘景气大好"。因此，我就告诉他，即使不用说谎，也可以有更好的回答方式。与其向客户抱怨时下的不景气，为什么不能说，从来没有比现在更忙，如果他真的是认真地工作，这句话就绝对不是谎言。这位业务员似乎抓到了要领。几天后，他欣喜若狂地来到事务所。"真的很有效! "——这是他的第一句话。他告诉我，他所拜访的每家公司的干部都很欢迎埋头苦干的业务员，而非一个整天满口抱怨的人。对他而言，景气已经复苏。其最主要的理由就在于，他将自怨自艾完全从自己的态度中扫地出门了。

体谅　以下，我要讨论几项乍看之下似乎并不十分重要的问题。已故的艾尔伯特·赫伯特曾说过这么一句非常有趣的话:

"我很爱你，这是因为你也爱我所爱的东西"。只要稍微分析一下这句话，就可以了解其中的含义。如果你将自己引以为傲的收藏品出示给朋友看，这位朋友却说自己拥有比你更好的东西，或是说他的某个亲戚、朋友拥有比这个更棒的东西时，你怎么可能对这种人产生好感？但如果你的客人对你的收藏品有正确的评价，相信一定会令你的内心涌现温暖的友情的光芒。由此，相信你已经了解赫伯特所说的"我很爱你，这是因为你也爱我所爱的东西"这句话中的真正含义。

迟到也是缺乏体谅的表现之一。当你迟到时，等于从现实中夺走了对方生命中的宝贵的一刻。如果你认为这与富有魅力的人品毫无关系，不妨想象一下在寒风刺骨的街角等人的情景，回想一下，当时的自己会产生怎样的想法。还有另外一个问题。当你去造访某人，当对方的男朋友或女朋友正忙得不可开交时，你是否还会视若无睹地继续赖着不走？当对方忙东忙西，自己又帮不上任何忙时，一般都会立刻有礼貌地告退，才不致于令人对你产生反感。而且，对方会感谢你的体谅，也因此增加了彼此的友情。

交朋友　我经常说，想要交朋友，首先自己必须是朋友。希望你能够花费几分钟的时间去思考这句话的意思。因为，你思考越深入，你的收获也越多。

我们之所以会为朋友付出，就是因为他们是我们的朋友，我们会对自己能够为对方带来幸福而感到喜悦。当给别带来幸福时，也能令我们感受到幸福，我们并非想要获得某种回报而为对方付出。然而不可思议的是，当我们全心为对方付出，令对方获得幸福时，对方——只要有机会的话——也会尽自己的努力使我们获得幸福。

除此以外，你还必须牢记以下的事项。众所周知，在商业社会中，任何公司都有资产和负债。当负债过多时，就会拖垮企业，在人生路上，朋友就是自己的资产，敌人是负债。就好像被负债拖垮的企业一样，当一个人的敌人太多时，个人的幸福就会被破坏殆尽。

如果你有好几个敌人的话，现在正是你努力思考如何才能赢得这些敌人的友情的最佳时机。如此，可以使你获得事半功倍的效果。也就是说，在减少负债的同时，也增加了自己的资产。

宽大　当你在认真思考培养自己富有魅力的人品时，有一个不容忽视、非常重要的问题。当你做了某些伤害他人的事后，是否有足够的心胸去请求对方的原谅? 另一方面，当别人对你造成伤害时，你是否具有宽大的心胸原谅对方? 想必你不难了解这些要素会对富有魅力的人品造成怎样的影响。简直是水火不相容。

一分钟的你自己

思考的种子

用一分钟时间思考一下自己的人品。

以前，当我在广播节目中谈论到有关富有魅力的人品的内容时，我曾经举办一个即时竞赛，并告诉大家，将给予写出最多自己不良习惯的人一份小小的奖励。令人难以置信的是，有人竟然写出自己足足三百项以上的不良习惯。几乎囊括了所有不良习惯——咬指甲、打响指、为了引起别人注意，用手指去指别人、抠鼻子、抓头、摆臭脸等等。相信你还可以想出更多的不良习惯，但也由此可以知道，这些不良习惯对建立富有魅力的人品没有丝毫的正面帮助。所以，应该随时注意别人是否有某些不令人欣赏的行为，同时，反省一下自己是否有相同的不良习惯。如果你发现自己也有类似的举动时，就应该立刻纠正，以便改善自己的人品。

本章是向你提供思考的种子的章节。我希望你能够借由本章思考一下关于人品的问题。如果我成功地做到了这一点，那么，你花费在阅读本章的时间将会有非常理想的"投资报酬率"。现在立刻开始研究一下自我。绝对不能对自己的人品感到满足，必须了解到，人品随时都有改善的余地，可以一天比一天更进步。相信在不久的将来，你的朋友和亲戚们将对你的改变感到惊讶。

"上帝，这样一篇文章如果在世上消失将是多么可悲啊！可我至今仍找不到阻止它发生的办法。"房主人懊恼的声音在空荡的楼道里徘徊。

DD 钻进房门，眼前骤然明亮起来。他揉了揉被突如其来的光线刺痛的鼠目，这才看清了房里的场景。

这是一间与书房差不多大的房间，里面摆满各种瓶瓶罐罐，几百种古怪的药水味道让DD差点晕过去。房主人是个矮个的老头，一张皱皱巴巴的脸上却

是一副孩子气般幼稚的表情。

DD在令他晕头转向的气味里四处乱钻，想找到BB，可失去嗅觉的他，只能误打误撞。

DD这次差点撞到老头的脚上，不过他被什么一把抓住了。DD惊恐地回头一看，BB正拉着他的尾巴。

"小子，别乱动。"BB止住DD即将冲出嗓子的惊叫，他拉着DD溜到墙角，爬到门口，钻出房间，这才吐了一口气。

"你乱跑什么?不要命了?"BB怒斥道。

"可是……""可是什么?走，先回书房去。"

两只老鼠溜回了书房，DD依旧心惊胆战。

"老大，这是怎么回事?"DD心情平静了下来，这才开口。

"你最好不要知道。"BB靠在墙角低头沉思着。

"我，我想知道。"DD鼓足勇气又说。

"你知道你来这里干什么吗?"BB沉默了许久，忽然问了个奇怪的问题。

"来干什么?"DD一下被问住了，他来到这里后从没思考过这个问题，或者是极力在回避去想。此刻，他不得不开始思考，可他的脑子就像要炸裂一样痛。

在DD的记忆里，他的确为了某件事来到这里。对，是的，找那部稿子。可谁让他这样做的?DD头痛得要裂了，他实在不能想下去了。

"那个秃头让你找这部稿子，并答应实现你一个愿望……"BB的话像一个劈雷，一下击开了DD的记忆。是，是，就是那个秃顶的男人，他说只要找全这本书，就可以实现我永远没烦恼的愿望。DD惊奇地瞪大眼盯着BB，他的目光在问：你怎么知道?

BB 也盯着 DD，他再告诉 DD，他也一样!

突然，莫名的恐惧布满 DD 全身，他不由地颤抖了一下。

"你还想知道吗?" BB 的眼里充满了嘲弄与悲哀。

如果，这是刚来时的 DD，他早已抱头鼠窜了。因为，他可以明确地感到知道真相就将意味着面临怎样的挑战。不过现在，我们的 DD 终于镇静了下来，他决定不再混混噩噩地虚度光阴。

"这是个什么阴谋?BB 你说罢! "

BB 突然笑了，"你已经准备好了，不过一切摊开后，我依旧面临选择。"他似乎并不忙着说，而是伸了懒腰，一副刚刚睡醒的样子。

DD 此刻也不再像往常一样沉不住气去催促 BB，他也清楚地知道，BB 正在思考如何开口。

"亲爱的 DD 先生，你在我这里成熟了不少，但这对你又有什么好处?你本来可以什么也不想地去完成任务，至于这会带来什么，实在不是你所能想到的。"BB 开始了他的讲述

"而我从开始就有点自作聪明，自一开始就在怀疑这件事背后隐藏着什么。所以，在我找书稿的过程中，也开始寻找整件事情的隐秘。当我接近真相时，你也傻头傻脑地闯了进来。"BB 毫无表情地叙述着，"而线索在那一刻也断了，可前天我却意外地在老小孩(房主人)的报纸堆里发现真相。"BB 这时顿了顿，"事实是我们是……"

BB 的话刚要出口，房门砰地一声打开了，紧接着一束手电光直射向他们。 "原来是你们，我终于找到你们了! "

DD 与 BB 在突如其来的光线下一时手足无措。也就在此刻一支铁笼扣住了他们。想跑已经来不及了，他们只好抬头

望去，眼前却是房主人气恼的小脸。

"我的水晶球总是在显示老鼠，而我却以为它出了毛病，今天我才明白，原来是你们在进行黑巫师的计划。"

"黑，黑巫师的计划?"DD莫名其妙地望着房主人。

"别装糊涂，你们敢说不是在收集这份书稿?"他说着将一叠东西扔到DD与BB面前。

"噢，这不是书稿的第十一章吗?原来在你那里，我说怎么找不到。"BB嘟囔着。

"小坏蛋! 你还敢说，你们这么做将会把人类毁灭! "

"不会吧! 我们不会做这种事的。"DD被房主人说的话搞得心惊肉跳。

"不会?难道你们不知道这是黑巫师所要收集的最后一部激励人类前进的书稿吗?只要得到它，人类将永远失去这些文字与思想。那时候，人们在困境面前将一愁莫展，他们将迅速退化，文明之光将被邪恶的黑暗势力所取代。"

"天啊! 那太可怕了! "DD不禁惊叫起来。

"哼! 对人类也许是，可对我老鼠有什么损失。"BB却大不以为然。

"老鼠?你们真以为自己是老鼠?"房主人奇怪地望着他们。

"我们不是老鼠，难道是兔子?"BB嘲讽地看着老头。

"被封闭的记忆! 你们也许还有救，去读一下那章东西吧! "

"读什么?"DD问。

"读这个! "BB抢着答道，"一起读吧，不然，惹恼了他，我们就没命了。"

第十一章　与恶魔的交易

章名：增加记忆力

严格地说，记忆力衰退的情况根本不可能存在。因为，任何人都会将自己所见、所闻的内容记忆在潜意识或是创造心中。

或许有人会问，"既然如此，为什么我们会忘记那些我们应该了解的事?"

相信你也曾经有过类似的经验。明明知道家里有剪刀，但即使翻箱倒柜也找不到，根本忘记放在哪里了……。这是对于记忆很好的说明，虽然我们知道某件事实，但无论如何都无法将之唤回到意识中。

你会说"我只是忘记了"。没错。只要你运用已经学到的知识，就可以了解为什么该信息无法回到意识中的理由。

"忘记"的意义

回顾一下有关心灵及其功效的知识。正如你所了解的，意识所接受的思想，也会令在意识的命令下工作的创造心接受。"忘记了"这句话，等于是告诉创造心，不必为这件事工作。"忘记了"的想法等于是关上了心灵仓库的大门。如果能够告诉自己"等一下我就会想起来"，你就会发现真的可以"如愿以偿"。这是因为你向创造心发布了命令，要求创造心努力寻找这项信息，将之带到意识中。

记忆力绝对不会衰退

许多人都觉得，随着年龄的增长，记忆力会逐渐衰退。然而，只要你切实执行本章所传授的内容，就绝不会让这种情况发生。

随着年龄的增长，人类所关心的事物会逐渐增加。当精神从某一个兴趣转移向另一个兴趣时，就会找不到对某项特定兴趣的思绪。当曾经中过这种记忆的"圈套"后，人们就会立刻觉得自己的记忆力变差了。当一个人整天念着"我的记忆力大不如前"时，这种状态就会更加恶化。

很多人经常将"我的记忆力衰退了"挂在嘴边，也因此迅速地"投入"了老人的行列。我想要激励这群"未老先衰族"一句话——记忆力绝对不可能衰退。

最近，我去了一家五年前曾经造访过的饭店。当我走近柜台时，接待人员竟然知道我的名字，而且还对我说，上一次住在这里已经是五年前的事了。当我在住宿名单上签名时，他竟然问我，是不是要住和上次相同的房间。或许大家会对他的记忆力表示惊叹，其实，每个人都可以做到这一点。

唱片行内虽然有数千张不同种类的唱片，但唱片行的女店员却可以明确记住哪一张放在哪里。当客人说出唱片的名字时，她就会毫不犹豫地直接走向放有那张唱片的陈列架，拿出来给客人。的确，她的记忆力值得佩服，但是，你我也可以做到。简

单地说，这位女店员的记忆能力并不比你我优秀。

增加记忆力的机械式方法

训练记忆力有两种不同的方法——机械式方法和心理式方法。机械式训练记忆力的方法是借由联想心像的联想进行。运用这种方法，可以记住与英文字母或数字有关的一系列图像。这些图像将成为你所要记忆的事物的心灵钥匙。

为了更具体地加以说明，假设蜂巢箱的图案是你基本清单中的第二项。在你的记忆清单第二项，是一张准备要修理的椅子。于是你就将蜂巢箱与坏椅子结合在一起。在记忆破损的椅子时，也就同时将第二张图片——蜂巢箱的图案送入心内。到底椅子和蜂巢箱是如何结合的?由于椅子坏了，所以，你的心眼可以看到蜜蜂围着椅子的狂舞，从破洞中穿来穿去。

当你要回忆清单上的该项目时，只要在内心描绘出第二项目的原图，就可以自动地从蜜蜂的图像中看到蜜蜂围着狂舞的椅子。

这种方法容易记忆，而且很有趣，在"记忆游戏"等记忆长篇大论的清单时，基本上都是使用本方法。

但是，我并不想向各位传授这种方法加强记忆。这会变成一种习惯。当你经常使用这种方法时，就会越来越离不开它。就好像随时拿着记事本，随时将大大小小的事都记录下来的人一样，只要没有记录在记事本上的事，一下子就会忘得精光。

增强记忆的心理方法

我运用这种心理的方法，在记忆训练的领域中获得了成功。在这种方法中，必须以你了解自己记忆非常好的情况下，才能增强记忆。这种方法不会变成习惯，相反地，越使用这种心理的方法，就越不需要使用这种方法记忆。

什么是心理的方法?简单地说,增强记忆的心理方法就是你必须获得自己记忆很好的意识。

其次,介绍可以增强记忆的五项简单的步骤。无论你现在的记忆力好还是坏,只要一边阅读,一边思考,并将铭记的内容付诸行动,那么在读完本章后,你的记忆力一定会增强。

第一步骤

必须保持了解自己的记忆很好的态度。

如果以前你一直认为自己记忆很差,突然要你产生相反的念头,告诉自己"我记性很好",似乎会觉得有点自相矛盾。其实,你应该想一想——以前,你一直认为自己记忆不好,所以,才会造成如今记忆不好的情况。想要改变自我时,首先必须改变对自己的态度。当你每次告诉自己"我记忆很好"时,你正一步一步地实现这种状态。

只要遵从本方法,你的记性一定会比现在更好。其他四项步骤将可以更急速地培养你良好的记忆力。

第二步骤

第二步骤的主题是集中。

精神集中对增强记忆力非常有效,当然,首先需要进行自我训练。如果你有"神游"的习惯,更应该如此。

在读书时,最适合练习精神集中,或许听起来感

觉很奇妙。我们在阅读印刷的文字时，往往脑子里想着其他的事。也因此会纳闷，为什么自己读了老半天，却根本记不住。

在练习时，首先选择一本比较有趣的书。先读其中的一章，然后将书放在一旁，在脑海里回忆刚才读了些什么。如果一章的内容太长时，也可以只读一页，在阅读完那一页后，试图回想刚才读到的所有内容。在练习一、二周后，你就会讶异自己读书可以如此有效率。

在听别人谈话时，要养成边听边思考，也就是思考你听吸到的内容。当对方说完话时，你应该了解一下，自己是否能够回忆起所有谈话的内容。

这些练习都有助于增加你的集中力。换句话说，你会提醒自己集中精神，你就会自动地训练自己一次只思考一件事。

我们经常记得某人的脸，但却记不起对方的名字。如果这种事从来不曾发生在你身上，那么，你一定属于"稀世珍宝"。你知道为什么我们比较容易记得对方的脸？原因十分简单，因为，当别人向你介绍某人时，名字通常会说得含糊不清。时间也只有一、二秒钟而已。然而，在谈话期间，我们一直注视着对方的脸。所以，脸比名字更容易记忆。

但只要你愿意努力，你可以像记住对方的脸一样，轻易记住对方的名字。当别人向你介绍对方时，可以重复一下对方的名字，"很高兴见到你，托洛克莫顿先生"。如果对方的名字比较不常见时，还可以如此增加记忆，"托洛克莫顿先生，你的名字很少见，是怎么写的？"在向对方发问时，也可以不时地称呼对方的名字，"托洛克莫顿先生，你在这里住了很久吗？"除此以外，还有许多可以帮助记住名字的方法。例如，可以向对方要一张名片，就可以借由视觉效果增加记忆。另外，多写几次对方的名字，也会加深印象。

第三步骤

在进行第一步骤和第二步骤后，你应该已经掌握了良好的记忆力，然而，在这些原则成为你创造心的一部分以前，不可能为你带来巨大的价值。所以，练习也就显得十分重要。第三个主题就是训练记忆力。

许多人一定会认为，如果自己再年轻一点，就可以简单地增强记忆力。其实，我要明确地告诉各位，年龄与记忆根本没有任何的关系。有人在三十几岁时，记性就很差，而有些八十多岁的人，记忆力仍然十分理想。所以，记忆力根本不是年龄的问题，而是运用方法的问题。

记忆力训练，有助于增强"我记性很好"的意识。在每次记忆练习后，一定会切实感受到自己真的拥有良好的记忆力，而且，这种感觉会越来越强烈。

如果不使用肌肉，肌肉就会慢慢松弛，记忆力也是一样，如果不加以使用，就会逐渐变得迟钝，这与年龄没有任何关系。记忆力的训练不仅可以改善记忆力，而且可以使精神更加敏捷。这对增加集中力也有很大的帮助。

背诗是训练记忆力的良好手段之一。先开始背一些比较简短的诗，当内心加以记忆后，就会觉得"记住这些太简单了"。当可以轻易记住简短的诗后，就可以选择较长的诗词，将之收藏在心灵的仓库中。在后面章节讨论声音与表现的问题时，这些诗句将会发挥另一种功效。

你是否会去购物？去购物时，你是否会列一张购物清单？你可以将清单列在自己的头脑中。去店里的时候，不要犹豫自己到底能不能想起清单的内容，而是确信自己一定记得住。自己的记性很好，所以一定记得住。

说话生动有趣的人不可能一边翻笔记，一边说话，一定是顺着话题自由发挥。在意识到自己记性很好时，这种小事简直易如反掌。所以，在日常生活中也要进行这种训练。在与别人谈话，或是在众人面前说话前，要确信自己一定可以回想起自己想要说的话。

前面所说的各项训练并非全部，只要稍微运用想像力，就可以增加更丰富的训练内容。重要的是，你的记忆力可以因此大大增强。

在结束第三步骤前，特别要提醒各位，在训练时，必须保持心情愉快。不要将训练视为不得不做的工作，应该觉得是一项非常有趣的游戏。那么，训练记忆力就成为一件非常愉快的事，不会排斥训练，反而会寻找一切机会练习。

第四步骤

第四步骤就是培养观察力。大部分人虽然阅人无数，但却很少观察。即使好像努力观察对方，但却对自己所观察的内容毫无印象。

为了了解你是否切实观察着周围的事物，不妨回想一下住家附近的环境。附近有几幢房子?每幢房子都是什么颜色?每家的庭院长什么样子?虽然你在这个社区已经住了好几年，每天都看到这些房子，但真正要回想时，却往往想

不出具体的样子。

　　你家墙上应该挂着别人赠送的宣传日历。你是否能够立刻回答出那家赞助商的名字?相信能够答出个所以然的人寥寥无几。

　　以前, 在我纽约的事务所内曾经发生过这样一件事, 想必可以进一步证明我们平时根本没有发挥自己的观察力。在我和一位造访者谈话中, 我问他是否打算去参观目前正在纽约市举行的某个展览会。我告诉了他目前正在举行展览会的那幢大楼, 那是一幢被称为摩天大楼的大厦。于是, 他就问我那幢大楼的所在地。当我告诉他时, 他满脸困惑的样子, 并告诉我, 其实, 几年以来, 他每天都要经过那幢大楼二次, 但却从来没有注意到有这样一幢大楼。

　　旅行也有助于培养观察力。旅行结束后, 你的内心一定充满令你感到新奇的事物。

　　令人兴奋的是, 培养观察力不仅可以促进记忆力, 还可以有其他方面的巨大收获。首先, 你可以成为一位有趣的观察家。更重要的是, 你将对人生产生新的兴趣。

　　从今天开始, 观察应该成为你生活的一部分。训练自己观察所有肉眼看到的事物。只要持续一星期, 你一定会惊讶地发现——在以往的人生中, 竟然遗漏了那么多重要的东西。

　　学会观察的人, 几乎不会感到无聊。即使与无趣的人在一起, 你也可以借由观察对方, 努力了解对方为什么会那么无趣, 就可以从中找到乐趣。研究他人的行为及其反应时, 可以从中获益良多。在等待巴士或火车时, 也要多多运用自己的眼睛, 观察肉眼可视范围内的所有事物。你的思想就会向积极的方向发展。对人物和事物的各种想法都进入了你的意识。

第五步骤

小学时，我们曾经学过视觉、触觉、味觉、嗅觉和听觉等五感。一般来说，记忆与五感中的视觉与听觉有关。

其实，记忆力优秀的人会同时运用五感，或至少会动员与所记忆的事项有关的所有感觉。经由视觉，将肉眼所能够看到的特征——大小、颜色及材质等刻入头脑。触觉则可以告诉我们材质细腻或粗糙等感觉。味觉可以告诉我们酸甜苦辣等味觉资讯。嗅觉则可以告诉我们其味道芳香，或是气味难闻。听觉可以让我们了解声调高低、嘈杂、愉快声等讯息，有助于增加我们的记忆。

这五项步骤有密切的关系，其中的每一项都对增强记忆有很大的帮助。当你同时运用这五项方法时，将会获得惊人的成果。

从今以后，你不允许产生"我记性很差""我很健忘""我记不住"之类的否定想法。这种想法会否定我传授给各位的积极的想法。当你想要回忆某一件事，而又一时想不起来时，如果想"我忘记了"，就等于将心灵之门关闭了。你必须告诉自己"我的记性很好。想必你会了解这种方法的确高明。

一分钟的你自己

　　为了使本章的知识能够充分发挥作用，希望各位能够立刻开始运用获得增强的记忆力。你了解到，意识心的想法会成为潜意识或创造心的范本。所以，当你想要记住某件事时，不要产生"我希望我不会忘记这件事"的消极的想法，而是要告诉自己——我一定会记住。

　　玩数字游戏有助于增强你的记忆力。走在路上时，也可以进行训练工作。比如说记汽车牌照的号码(但是，随着练习的进行，这种"考试"也就易如反掌。只要短短的一段时间，你就可以用你的"心眼"看到所有的数字。

　　改善观察力的最佳方法就是改变通勤的路线。如果你每天都要去公司或工厂上班，不妨改变方向。事后，再回想一下，自己到底看到了什么。

　　为了更有效地发挥第四步骤的效果，每天晚上，利用一分钟都要回想一下白天所观察的事物。你将会惊讶地发现，这个世界多么有趣，以前，自己竟然错过了那么多有趣的事。

　　DD已经读完了这一章，但他仍不知房主人让他们读的原因。BB似乎还没读完，可谁都能看到他骨碌乱转的眼睛绝对不是在看书稿。

　　"该看完了吧?记忆是不会删除的，你们只是被封闭了过去的记忆。"房主人又开始训话。

　　"比如你BB，每次你读到有关王子失踪的消息就开始感到激动，对吧?"这一句话在BB那里产生了意想不到的效果。

　　"别提他，别提了好吗! 我的头要裂了!"BB忽然抱着头在地上打起滚来，这让房主人有些措手不及，慌忙取下铁笼来看BB发生了什么。

就在这一瞬间，BB猛地拉住DD窜了出去。

"你这坏小子！"房主人这才明白中计，忙伸手抓BB，可BB窜得太快，一下就与DD钻进了书架后边。房主人没有再追，却是从地上拣起了一卷东西。

"坏了，地图。"BB在书架后大叫道。

"丢就丢了，你太机智了，不是你，我根本逃不出来。"DD靠着书架直喘气。

"你懂什么！没有地图我们就完成不了任务。"BB怒喝道。

"那个任务对人类很危险，我看不做也罢！"DD却不以为然。

"傻瓜，我们是老鼠，用不着替人类着想。"BB更加怒不可遏。

"你们不是人类？哈哈……"不远处的房主人突然大笑起来。

"你笑什么？你拿到地图也用不着这么得意。"BB恨恨地说。

"两位，我本来希望第十一章能让你们恢复记忆，看来我低估黑巫师了。"房主人并不理会BB，"现在让我来开启你们被封存的记忆。"房主人话音未落，一道雪亮的光就从他手掌中射出罩住了

BB 与 DD。

"啊!"BB 与 DD 捂住头在似乎要炸裂的苦痛中煎熬。同时，他们脑子中幻影，一个个地闪过。

DD 看到一位中年男人走到一个秃头巫师面前说着什么，接着是一只巨大的水晶球，那中年男人呼地被吸了进去，一只小老鼠从球中爬了出来。

"不，这不是真的!"DD 大喊着。

砰! 一声巨响后，那束光一下不见了。BB 与 DD 仍然抱头呆坐在原地。

"你们找回记忆了吧!"不远处房主人的声音突然变得苍白无力。

DD 与 BB 这才发现房主人倒在地上，他的嘴角流着鲜血。

"您怎么了?"DD 忘了两者间刚才发生的冲突，一下窜到老人跟前。

"没什么，刚才施展魔法时，被黑巫师偷袭了一下。不过，他也没拣着便宜，至少三五天不能动了。"房主人堆满皱纹的脸上浮现出一个孩子般的鬼脸。

DD 这时也过来了，他依旧垂着头，一副心事重重的样子。

"两位，人类的未来就在你们身上了! 你们能帮我做这件事吗?"

"老伯，我已经知道一切了，你怎么说，我们就怎么做。"DD 很激动。

"别着急，先听听再答应也不迟。"BB 在一旁依旧显得没什么热情。

"王子，别无精打彩的。你最好别信那秃头的承诺。"房主人对BB的称呼令DD有些诧异，不过他什么也没说。"你看这张地图，你所标的每个点，都等于在那里设置了一枚魔法炸弹，当你标完最后一个后，这座迷宫就会炸上天，而我这座房子正在迷宫之上。黑巫师在让你自己炸死自己呢！"

"不会，这怎么可能?"面无表情的BB此刻突然激动起来，"该死的巫师，他骗我，他敢骗我！"

"你不相信你的同类，却去与恶魔交易。王子，你太自作聪明了。"

"相信人类?为人类而战?简直可笑,那些残忍、恶毒自私的家伙不值得我这么做。"BB蔑视地昂着头。

"那，你可以为我，帮我做这件事吗?"一个很低但充满信心的声音就在此刻传进了BB的耳朵。

BB知道这是DD的声音，他低下头。长久的沉寂，难言的烦闷压在三个人心头。DD一言不发，注视着BB。在他那纯净的目光下，BB终于点了点头。

"太好了，我现在得养养神,这个东西你拿去打发一下时间吧！"

房主人捂着胸口，血依旧没有止住，他的确需要休息一下。而他说的这个东西——又一部书稿，摆在DD面前。DD把书稿拉到BB面前，两人没有再说什么。

第十二章 我是一个王子

章名：交谈与演说

每个人都希望自己能够谈笑自如。但是，大部分人都认为交谈的才能是只有少数人才能拥有的特殊才华。每当我们看到谈笑自如的人，往往会情不自禁地露出羡慕的眼神。但是，你不必气馁，因为，你也可以成为口若悬河的人。只要遵守一些注意事项，成为谈话高手并不像你想像的那么困难。

成为健谈高手的第一步

当看到别人具备自己所没有的特质时，就会对此感到惊叹。毫无疑问，拉我们后腿的正是这种思想。创造心理学的学习中，我们曾学到思想会借由图像加以表达，而且，心像会被创造心接受，并成为模仿的范本。所以，当你认为自己口才不好时，创造心就会毫不犹豫地接受口才不好的想法。相反地，如果你认为自己能言善道时，你的创造心也会加以贯彻。所以，你所要做的第一件事就是产生自己口才绝佳的自觉。

怎样的人才能称为健谈高手？无非是具备了说起话来妙趣横生的能力。当然，这对工作、社交都有很大的帮助。当你遵守以下的原则，就会惊讶地发现自己的交谈能力大为改善，对自己富有魅力的人品有多么大的正面帮助。

自觉自己很健谈

首先，应该认为"我很健谈"。当与别人在一起时要自觉到，自己将会使这次谈话有良好的表现。要自觉到，你的思想如行云流水般顺畅，也可以幽默的方式表达自己的想法。虽然在刚开始时，可能会认为有点自相矛盾，尤其当自己认为自己口拙时，更显得充满矛盾。但是，行动(motion)创造感情(emotion)。当自己相信自己口才很好时，所产生的心像会在你的心中生根发芽，使你真正成为口才很好的人。

丰富知识的仓库

想要使自己更健谈，当然要掌握一定的话题。在当今社会中，可以自由地掌握各方面的信息，任何人都必须不断吸收各种新资讯。

一、首先，每天至少要仔细阅读一份值得信赖的报纸，使自己能够精通最近所发生的一切事。健谈的人会随时准备当天的"新鲜话题"，在适当时候提供适当的资讯。

二、每个月阅读几份品质高的杂志。从中掌握有关文学、音乐、戏剧、美术、科学等方面的知识。

三、电台的广播会告诉我们一些报纸上没有刊登的即时消息。如果能够随时准备一些报纸上还没有发表的话题，就会让大家认为你是个"消息通"。

四、电视和电影往往可以提供最佳的话题。可以从中了解电视和电影中的艺人。也可以学习其中的演技，可以了解世界各地的资讯，也可以学到许多摄影技术。

五、经常阅读广告。广告具有重要的新闻价值。可以了解有关家庭、饮食、服装方面的新资讯，这些都将成为良好的话题。

提出问题

大部分人在和别人交谈时，都很害怕暴露自己的无知，所以，都不敢提出自己的问题，这种态度不可取。没有一个人可以无所不知。即使是最有学问的人，对他最有兴趣的问题也不可能无所不知。越深入某一种学问，就越会发现学海无涯。

对对方所谈论的内容提出疑问，其实也是一种奉承的表现。不仅可以表示出你对这个话题很有兴趣，更可以从中获益良多。

做一个好听众

当一个好听众也是一种技术。聆听对方谈话时，并非默默无声地听，而是必须注视说话者，表示出自己对对方所说的话题很有兴趣。

One Minute Yourself

增加交谈中的变化

除非是一群人针对某个特定的问题展开讨论，否则，在一般情况下，应该尽可能使交谈有所变化。在对某个话题感到无聊以前，适时地转移向另一个话题。只要仔细观察对方，就可以从对方的脸部表情中了解，对方是否真的对所谈论的话题产生兴趣。

不要一个人唱"独角戏"

交谈不是唱"独角戏"，应该是意见和思想的交流。在交谈中，除了要适时地发表自己的意见以外，还要让对方也有发言的机会。

从实际中学习

任何知识只有付诸实际行动，才算是真正掌握。在学到某项新的知识时，就应该尽可能谈论。由此，可以获得有关会话技术的经验。

练习声音的表情

说话就好像是歌声一样，也可以富有韵律感。应该练习声音的表情。赋与语言生命！在赋与所有语言表情的同时，大声地朗读出来是一种良好的练习。可以从书中选择一个章节，了解自己可以如何完美的加以表达。你会惊讶地发现自己说话的声音变得越来越好听。

赋与声音温暖的感觉

与他人交谈时，应该对对方抱有亲切的感情。于是，你的声音就会充满温暖的感觉，也因此令对方对你产生好感。

为什么无法在众人面前说话

你是否记得当出席俱乐部的聚会时，自己是多么坐立难安？俱乐部的会长正在挑选下一次聚会时上台发言的成员。为了不引人注目，你低下头，将整个身体都缩在椅子上，只要一想到"不知道会不会选到我头上"，心脏就噗通噗通地跳个不停。当听到别人"中选"时，浑身松了一口气，当心跳开始恢复正常时，为了掩饰刚才的举动，故意与旁边人窃窃私语。

那一整晚，你的心情却不怎么好，晚上也久久无法入睡。在床上辗转反侧，努力想像自己站在讲台上，以无懈可击的帅姿和流畅的声音，吸引着听众狂热的注意力的样子。

你一边想像着万一自己被挑选为下一次的发言人时，自己将会多么胆战心惊，同时，又不禁扪心自问，"为什么我无法像别人那样谈吐自如？"然后，你会回忆起曾经听到、读过的有关演说的一切。想必你曾经听过，依普斯比奇夫人谈论他先生在行销经纪人俱乐部演说的事。为了准备演讲稿，他熬了三个夜晚。家人在一旁至少听他练习了十二次。在即将发言的前一天晚上，甚至动员了左邻右舍来听他演讲。原以为一切准备就绪，但当他站上讲台准备发言时，竟然将事先准备的内容忘得一干二净。

你也可能会想到某位年轻的律师。当他被选为下院议员，在下院第一次演说，一个人偷偷地不知花费了多少时间练习。

然后，你还会想起曾经阅读过的有关演说的书籍。走上讲台时，应该这样走。姿势必须保持端正。必须先向听众打招呼，在谈话中，应该如何引用实例进一步说明，都必须符合当时的情景。

相信你会说"不行，我做不到！"或"我根本不会演说。我根本学不会。演说才能是与生俱来的。"当你得出这种结论时，显然已经举双手投降了。

不，根本是一派胡言！当你学会讲话时，就已经学会在众人面前说话了。当你在对别人说话时，不就是在别人面前说话吗？你之所以会惧怕，完全是因为自己吓自己。

不要认为必须花费几个月甚至几年的时间，才能训练自己能够站在讲台上演讲。只要让自己完全放松，仔细地、慢慢地阅读完本章，并在阅读的同时动脑筋思考，你明天就可以站上讲台，在众人面前演讲，而且，一定会很精彩。

在众人面前说话时的一、二、三

我经常在美国各都市，为超过五万名以上的听众演讲，但却从来没有参加过有关谈话的讲座。许多俱乐部、公司、团体和各种组织都曾写信称赞我。

在某个机会，为了了解在讲台如何能够轻松自如地演讲的方法，我曾经分析了自己的演讲。在演讲前，我只在笔记本上写下极简单的概要，除此之外，几乎不做任何事前准备工作。做广播节目时，我也完全不用稿子，只是根据笔记本上的内容即兴发挥。或许你会认为我是极少数能够在众人面前挥洒自如的"特殊人物"，其实大错特错。在三十岁以前，我应该归类为"胆小如鼠"。

在研究自己谈话的构成时，我发现原来自己在不知不觉中运用了自己所学到的心理学的原则。

我发现，最富逻辑而又符合心理学原理的方法就是，将演讲内容分成三个基础部分。将这三个主要部分再细分为三个场景。这种结论让我觉得未免太简单了。连我自己都怀疑是否隐藏着陷阱，于是，我决定要亲自体验这项"一、二、三原则"，以了解是否真的能够派上用场，是否能够帮助胆小怯弱的朋友走上讲台。

我在洛杉矶开了好几个创造心理学的课程，我选择了其中的一组成人组，告诉他们我想要培养他们成为一流的演说家，并开始说明在众人面前说话的"一、二、三原则"。实验的结果好得令我惊讶。

在一星期不到的时间内，每个人都大大方方地站在讲台上，即兴地发表演讲。一位害怕回答老师提问的女性也能够自在地发表自己的论点。最后，还有其他班级的人来邀请本班学生去演讲。

以下就是一、二、三原则的内容。

首先，回忆一下你最近所听的几场演讲，其中有多少内容还留在你的记忆中？相信你可以回忆起演讲者所说的三项左右的内容——偶然也可能会更多。如果演讲者试图在演讲中谈论太多问题时，你会拼命想要全部记住，结果，反而造成思绪一片混乱，最后，你最多只能记住三点内容。但是，在一次演讲中，你可以记住三项完全不同的内容，而且，你也知道自己记得住。这是一项非常重要的原则。所以，在一场演讲中，绝对不要谈论三个以上的问题。

当只要谈论三个问题时，即使不特别死记硬背，也能自然地发表自己的意见。

当你和朋友在一起谈论某件事时，为了避免遗漏，会事先写下几点"关键的想法"。在演讲中，陈述三个故事时，也经常会使用这种手法。写下关键的部分——能够使自己回想起故事的几句话。

接下来，要介绍能够在听众心中留下深刻印象的演说方法。同样地，也可以运用"一、二、三原则"。

我曾经向总是令人感觉振振有词的南部地方的一位黑人牧师请教说服他人的方法，他的回答非常合情合理，非常精彩。他回答说"首先，告诉他们我即将要告诉他们的内容。然后，说出我想要说的话。最后，再重复一遍我说过的话。"这种方法实在太妙了。所以，你也要使用这种方法。将每段故事分成三个部分——引导部分和主题故事以及高潮。

这就是在众人面前说话的"一、二、三原则"。你只要将关键字眼写在一张手掌大小的纸上就可以上场发挥。这些关键字眼包括了你想要讨论的三个主题的重点。也可以在三个主题的下方再细分出三个详细内容。只要这总计九条项目的笔记，就可以组合起你演讲的整体内容。

关于演讲的几个问题

或许，关于演讲你会产生若干疑问。在此，将为你一一作答。

该演讲多长时间？当超过二十分钟后，听众就会开始看手表。三十分钟后，他们甚至会用手摇手表，以确认手表还在正常运作。所以，最安全的方法就是不要超过二十五分钟。与其让听众产生厌倦"怎么还没有完"，还不如在他们觉得还想要继续听的时候就结束。而且，不要接二连三地说"结论就是……"之类的话。

在明确阐述自己的主题后，就立刻结束话题。当你在意想不到的时候结束时，听众或许会有点失望。他们一定还想要多听一点。但这正是理想的状态。这就是你的胜利。

演讲时，该如何控制音量？假设你一个人在一间很大的空房内，你在房间的一端，另一个人在房间的另一端，为了使对方能够听清楚你在说什么，你自己当然会大声地说。这就是你问题的答案所在。说话时，你应该感觉在与最后排的人说话，也就自然可以进行声音的控制。

该如何站立，该如何做动作？绝对不要去模仿其他人，表现出自己的个性即可。动作、姿势都以自然为主。

如何才能克服怯场？当你仔细阅读第七章至第十一章的内容后，想必你不会提出这样的问题。在此，向你传授一件与演说有关的重要事项。首先，让我问你一个问题。在这些听众中，是否有让你不敢面对面和他说话的人？没有吧？那么，就请你记住以下的话——听众的智能并非与人数成正比。这些人的智能总和并不会超过每个人的智能。让你不敢面对面说话的人根本不存在，所以，绝对没有理由害怕对他们发表演说。

最后，还要告诉你一件事，听了以后，想必你可以成为一位出色的演说家。

学会热爱你的听众，不要害怕他们。当你对听众抱有亲情时，你的声音就会变得柔和，你的个性得以发挥，你也可以感受到他们对你感情的回报。

一分钟的你自己

一、二、三原则的实际范例

　　首先，假设你要准备在学校的家长会上演讲的发言。由于你对教育孩子有丰富的经验，所以，学校要求你就儿童心理发表你的意见。该如何将这个主题分配成三个部分？

　　当然，这个主题可以细分成十几个小主题，但是，你不要这么做。与其归纳出十几项重点，结果听众听过就忘，还不如只分成三项重点，使听众能够完全记住。例如，你可以分为——(1)出生前的影响、(2)出生后的教育、(3)青春期这三大主要主题，然后，再将每一个主题进一步分为三个部分。

　　或许，有其他的俱乐部邀请你演讲最近去墨西哥旅行的情况。或许，不习惯演讲的人会说"那可不是一件容易的事"。但是，在掌握数字下方写下——(1)旅行，(2)比较地理学，(3)居民。相信你已经不再需要更多的说明，因为，你已经了然于心。

　　以下有两个发言题目，请用一分钟写出它们的三项重点：

　　1.知识对于工作的影响

　　2.家庭暴力

　　BB开始并无心阅读，可很快就被内容吸引了进去。BB是一个善于演讲和说话的家伙，他对这方面的东西一向非常有兴趣。这章对于心情极其恶劣的他来说，的确是来得正好。

　　众位，你可以借鉴一下这种消火化忧的方法，不痛快时找一本喜欢的书来排遣一下肝火。当然，前题是你是个喜欢读书的人。不过，能把这本书读到这里，你肯定是个好的读者。我们不再罗嗦了，因为，最后的章节，即本书的结局就快到来了。

当BB与DD读完了书稿，房主人也恢复一点精力，至少他不再继续可怜巴巴地淌血了。

"两位，神圣的使命，正义与邪恶的决胜就掌握在你们手里了。你们肩负着……"

"你能不能少点废话，讲点有用的。"BB打断了老头的慷慨陈词。

"噢，好吧。"老家伙有点尴尬，"现在几点了?呀，已经中午十二点了。"

"那又怎么样?"BB还是一副不阴不阳的样子。

"这意味着你们只有48小时了!你必须在48小时内找到最后两章，并把最后一章放在阳光下曝晒。"

"如果不能呢?"DD问道。

"那么……我们将一起被炸飞升天，而人间也将永久地失去激励前进的文字与思想。"

DD与BB互相看一眼，现在什么也不必说了，两人转身钻进了迷宫。

BB走着走着就慢了下来。这让DD焦急万分，"老大，能快点吗?咱们的时间很紧迫呀!"

"着什么急，那两卷我早就知道藏在哪儿，只是那个老家伙手里藏了这之前的几卷，不然任务早完成了。"BB不紧不慢地说。

"幸好如此，不然我们也早就炸上天了。"DD说的是实情。

在DD的一再催促下，两人终于找全了最后两卷书稿，开始向回走。

一路上BB依旧不紧不慢，而DD则是急得要命。等他们回到书房时，最后一缕阳光已消逝在东方了。

"你看，太阳落山了。要是快一点的话，我们现在已经完成任务了。"DD抱怨起BB来。

"我在想，我是否真的要变回老鼠。要不是那老家伙给了我们什么'使命'，我才不愿变回人呢！现在急也没有用，让我们再做一夜老鼠，反正还有明天一天呢。"BB啃完食物又爬回那本书后睡觉去了。

DD一看也没有更好的办法，于是打开书稿消磨难熬的时间。

DD这些天看书的速度有所提高，但他看完一章东西总也要花好几个小时。此刻，夜已很深了。整个书房除了BB轻微的呼吸声再也没有一丝声音。

DD回忆起自己这几天古怪的奇遇，他首先记起了那个天色很好的中午。

麦克·伦特小心地推开"黑巫师"的玻璃门，侧身挤了进去。这里他来过几次，都是在心情不好的时候。那个和蔼可亲的秃头巫师总能善解人意地替他排遣烦恼。

"噢，我的朋友，你看上去很不好啊！"巫师从一张桌子后面站起身。

"是啊，我遇到了大麻烦，我要完蛋了。"麦克开始讲述他倒霉的经历，脸上一副绝望的表情。"做人太累了，我真是受不了。"

这句话像是按上了电门，秃头巫师猛地叫道："你真的不想做人了？""是啊！那又怎样？"麦克依旧沉浸在自伤自怜中。

"如果你决心已定，我可以帮助你。"巫师从身后端出一只水晶球放在麦克面前的桌上，"只要你把决心告诉它，一切将会有一个有趣的改变。"

麦克望着硕大的水晶球有些犹豫。"宝贝，你已经走到绝路上了，试试这个又有何妨。"巫师一双鬼魅般的双眼让麦克突然对着水晶球大喊了一声：我不想做人了！

"啊! 太可怕了。"DD从回忆中惊觉过来，他发现BB不知何时已坐在他身旁。

"是很可怕，不过那是我自己的选择! "BB忧郁地说着，似乎是对DD，又似乎是对自己。

"王子，你……"

"是的，我就是那失踪的王子。你想听听我的故事吗？"

DD认真地点了点头，BB也就开始他的叙述。

"我是一个王子，人人仰慕着我，以为我是天下最幸福的人。然而，我却活在一个孤独的世界中，不，一个残酷世界中。我周围没有朋友，只有俯耳听命的侍从。我的母亲出身贫民，她很快成了政治的牺牲品，而那个凶手却是我的父亲。没有人关心这些，他们永远只为稳固自己的地位而处心积虑。我恨他们，我恨所有的人类！"

"因为这个你就去找秃头巫师，并达成了协议？"DD追问道。

"是的，可这个该死的巫师，也跟其它人一样欺骗了我。"BB的双眼喷出愤怒的烈火。

"BB，不，王子。唉，我还是叫你老大吧。"DD也有些激动，"老大，我想你是太偏激了。你说你父亲从不关心你，可报纸上你父亲那憔悴的照

片，谁都看得出他伤心到极点。而你的人民天天在教堂祈祷，希望你能回来。难道他们的眼泪都是假的吗？而你这么做，最伤心的莫过于你的母亲，如果她还活着。哪个母亲希望自己的儿子变为老鼠去毁灭自己的同类呢！"DD情不自禁地猛摇着BB的身体，他希望这样可以唤醒一颗即将枯死的灵魂。

眼泪在BB眼中转了又转，终于滚了出来。BB扑进DD怀中嚎啕大哭起来。

不知过了多久，BB从DD怀中抬起头，"无论怎样，就算为了你DD，我们也要击败黑巫师。"DD狠狠地点了点头。

时钟终于宣告黎明的来临，但窗外却下起了连绵的阴雨，BB与DD焦急地在屋里打着转。

"唉，昨天我快点就不会这样了。"BB十分懊恼地叫着。

"老大，我相信老天不会这么不公的。与其干等不如读一章书稿。"DD虽然也心急如焚，但还是沉下心来叫BB一起读书。

"妈的，那个鬼老头也不知跑哪去了。"BB无奈地走到DD身旁。

第十三章　他是猫!

章名：选择适合自己的配偶

一位年轻的小姐来到我的事务所，问我"我怎样才可以找到我的另一半？"当我回答说"找到另一半的最好方法就是停止寻找"时，她讶异得说不出话来。我继续告诉她，其实，在找自己的另一半前，应该首先充实自己的人生，使自己即使不结婚，也能拥有足够的幸福。然后，我又告诉她，如果她能够将自己训练成男人眼中的好妻子，那么，她的问题就变成只需要在想要和她结婚的人中间加以选择。她理解了我的指导，并听从了我的忠告。不久，她的幸福洋溢地来向我报告，她和"这个城市中最棒"的男生订婚了。

其实，这无论对男人还是女人都是真理。拼命寻找另一半时，或许能够找到自己的先生或太太。但是，这种建立在"偶然发现"基础上的婚姻并不会持久。

男女生到了适婚年龄，看到那些拼命想结婚而又好嫉妒的人总会敬而远之，或许听起来觉得很奇怪，但却是一项真理。然而，当男性看到足够胜任贤妻，而且对自己目前的状态感到满足的女人，就会想尽一切办法把她娶回家。对女性来说也是如此，她们不一定喜欢着急地向女人求婚的人，却往往会被那些似乎对结婚没有任何兴趣的男人吸引。

幸福的婚姻的三方面

幸福的婚姻由精神、肉体和信仰三方面构成。就好像三只脚的椅子如果缺少一只脚就会倒地不支一样，如果婚姻不以这三方面为基础，就很容易导致失败。

精神上的一致并不一定代表两个人必须有完全相同的思想。而是各自的想法能够令彼此感到满足。如果先生喜欢一步一脚印，一年到头却踏实地地努力持续一份工作，那么，遇到敏锐、富有冲劲的太太时，很可能一拍两散。相反地，活泼型的男生也会看不惯唠唠叨叨、瞻前顾后的太太。

但是内向型的人却可以和外向型的人相处得很圆满。外向型的人在外面活动了一天，回到内向型太太的身边，谈及一些可以触及灵魂深处的话题，或许会让他们感到无比喜悦。内向型的人也会觉得偶然和外向型的先生一同外出，呼吸一下新鲜空气，打破日常的单调生活是一种快乐。

信仰上的一致并不代表夫妻两人一定要信仰相同的信仰。而是说，应该对信仰抱有相同的关心度。对信仰不感兴趣的先生会觉得整天参加教会活动的太太很烦。同样地，这种太太与对教会工作漠不关心的先生生活在一起时，也不可能感到幸福。

但是，任何原则都可能有例外。我的朋友中，就有一对相处非常融洽的夫妻，那位先生从来没有踏进过教堂的门，而太太却每星期参加各种教会活动。

结婚的肉体方面，其实比另外两个方面更加重要。只有当因为肉体的接触产生兴奋时，才会让彼此更加深爱对方。握手、亲吻、拥抱——这些行为都可以引导我们进入爱的感情状态。

虽然，我们的确需要肉体接触带来的兴奋，但如果在精神上、信仰上无法一致，婚姻迟早会出现问题。许多夫妻都彼此指责对方的冷淡。虽然他们在结婚初期并没有这种现象，但如今，却说彼此之间根本已经没有爱情的存在。

当婚姻能够以精神、信仰和肉体三项本质性要素作为基础时，每项要素都可以促进其他两项要素。如果结婚只建立在性上，久而久之就会失去新鲜感，就好像小孩子对待玩具的态度一样，之后，两人之间就没有任何维系。但是，如果彼此能够在精神和信仰上协调，就可以永远保持婚姻的肉体方面的活动力。

女性观察男性的哪些地方？

人们在选择配偶时，如果能像选购车子那样仔细，离婚率一定可以大为降低。买车时，人们不仅会考虑到车子的外观，更注重其耐久性、运转性和经济性等各方面的情况。然而，在男女关系上，只要对对方某一点"看上眼"，就立刻陷入情网，爱得一发不可收拾。

任何人都不可能十全十美，所以，在选择另一半时，也需要有某种程度的"睁一只眼，闭一只眼"，只要彼此的引力建立在健全的基础上，当然能够忍耐对方的某些小缺点。

一位年轻男子来事务所，和我谈起一位和她在同一家公司上班的女孩子。虽然她在各方面都很吸引他，但有一些小缺点让他觉得无法忍受，所以，至今仍无法下决心和她结婚。他也承认，她是一个好女孩，有许多富有魅力的地方，很会做菜、富有经济观念，一定可以成为一位贤妻。但是——这位男子又说了几点他觉得不满意的小缺点。很显然地，他希望她能够十全十美。

当她说完话，等待我的回答时，我问了她一个问题，"你觉得你能要求她十全十美吗?"他先是对我的问题吃了一惊，随后回答说"不"。于是，我又继续问他，为什么他认为自己有权利要求对方十全十美。他理解了我想要说的话，之后，和这位小姐步入了礼堂。而且，据我所知，"两个人过着幸福快乐的生活"。

当彼此真心相爱时，可以轻易地对对方的缺点"视而不见"，而且，就像俗话所说的"情人眼里出西施"，小小的缺点在情人眼中反而成为富有魅力的特色。

在选择人生伴侣时，不要将重大的决定都交由"心"去处理，更应该动动脑筋。女性在选择终身伴侣时，应该充分考虑以下的因素。虽然不应该期待对方十全十美，但可以根据以下的要素深思熟虑，审慎选择。

三项要素　精神、信仰和肉体上的配合度比其他要素更加重要。如果在这点上妥协，很可能招致婚姻的失败。

诚实　每位女性都希望自己的先生值得信赖、值得依靠，具有能够受到他人尊敬的性格。

勤奋　与勤奋的男子结婚的女人，比较不会感受到不安。

野心　每个女人都对男人的野心有很大的兴趣。当发现自己的先生不断努力改善人生的立场时，会感到莫大的满足。

会赚钱　一般来说，女人只要出去工作，轻易就可以赚到满足个人生活的金钱。所以，如果先生所给的生活费并不比自己工作时所赚的薪水多时，太太绝不会觉得自己幸福。如今，许多太太外出工作，拥有一份独立的收入。但并不等于先生就可以不养家。

心胸宽阔　男人必须节省，才能使女人拥有一份安全感。但是，对男人来说，成为节约家和保持心胸宽阔并不矛盾。如果能够按照适当的预算分配自己的收入，即使不吝啬，也可以为将来准备一份储蓄金。所谓宽大并非在经济方面的慷慨而已。人类在爱、情爱、友情和帮助他人时，也应该慷慨。

理解力　在爱的字典中，理解力最重要。所谓理解力，就是了解其中的缘由。只要有理解，就不会产生误解。也就是说，大部分的争执都是因为缺乏理解所引起的。人类往往只从他人表面的行动中进行判断，而忽略了隐藏在行动背后的真正动机。

性情　有一位女子曾和我谈起她的未婚夫。她和我谈到他的几项恶习。她认为如果向他指正，一定会令他暴跳如雷，所以，至今从来没有向他当面指正。虽然她了解未婚夫这些不良习性，但仍然决定要和他结婚。大部分女人都认为男人在结婚后会为自己改变。的确，他可能会改变，但并不一定改变成你希望的模样。如果他在结婚前就有某种恶习，在结婚后很可能变本加厉。

恶习是人类最不好的缺陷，有些人虽然在肉体上有缺陷，但还是能够过着幸福快乐的生活，但是，有不良习惯的人绝不可能过幸福的生活。

习惯 有些女孩子在结婚前与男朋友一起去夜总会，当看到男朋友喝得酩酊大醉时，觉得"没关系"。其实，你应该将之视为结婚后，沉迷酒精的前兆。数十万对夫妻曾经因为某一方将所有收入都耗费在喝酒上，不得不过着手头拮据的贫困生活。所以，在选择结婚对象时，必须了解对方是否有某些可能会剥夺自己幸福的习惯。

如果你希望拥有一个儿女成群的家庭，首先必须确认你选择的男士是否也有相同的期待。

健康 没有人会去责怪病人。尤其是建立在真爱基础上的夫妻更会透过疾病，进一步加深彼此的感情。当然，这是指在结婚后，对方不小心生病的情况。然而，有些人漠视健康的重要性，或是生活方式不良，因此经常生病。如果你的男朋友因为自己管理不当而时常生病，就应该特别小心。

公正 即使具备了以上所有列举的特质，如果对自己的配偶缺乏公正，实在令人遗憾。例如，我认识一位男士，自己会花费大钱在收集昂贵的枪枝和钓鱼工具之类的收藏品。每到周末，他就独自一人去打猎或钓鱼。但却不为太太购买吸尘器、洗衣机等其他家电用器。他觉得自己让太太有房子住，太太也不必为生计担心，所以，自己很公正。但其实收入应该是共同的，太太也有权利分享自己奢侈的几分之一。

除此以外，还有许多场合可以显示出一个人是否公正。男人养家糊口是本份。当然，在结婚前，要了解这项特质并不容易，

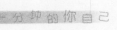
但如果能够仔细加以观察，就可以在某种程度上了解对方是否公正。

前面所列举的特质虽然还很不充分，但可以作为女性在选择另一半时的参考。

男性对女性有什么期待？

男性在选择理想结婚对象时，也必须注意对方的特质，以下是男性在选择女性时必须睁大眼睛看清楚的要素。

三项不可或缺的要素　男性也必须注意女性与自己在精神、信仰和肉体三方面是否完全调和。

理解力　男性期待女性的理解力更胜于女性对男性的理解力的期待。本人也认为理解力是女性应该拥有的最宝贵的特质之一。有一位男性说自己与太太结婚已经十年，却从来没有与太太吵过一次架。而且还说，如果有朝一日他们夫妻吵架，一定是自己的错。因为，他太太是他这辈子遇到的最富理解力的女人。这是对那位富有价值的太太最美的赞美。

家庭管理　这是在所有结婚生活中，太太必须负责的任务。

料理　我认为，每个女人都应该知道怎么做菜——做一手好菜的方法。

即使家中的经济情况可以允许雇用厨师，太太还是应该懂得做菜。

在收入范围内生活的能力　一位收入相当丰厚的男士曾经告诉我，自己的财产都由太太统筹管理。他说，他太太很会理财，不仅可以在收入范围内安排理想的生活，还妥善储蓄。但并非每位先生都能如此幸运，曾经有一位上班族先生告诉我，他从来不和太太谈论公司发生的事。如果某一个月工作绩效不佳，告诉太太时，太太就会不分青红皂白地骂他一顿。如果某个月有什么好的表现，太太就立刻去店里买一大堆超出他收入的东西。

家庭经济的管理必须靠夫妻双方共同合作。有些先生给太太的钱少得连生活都有困难，当然就根本没有发挥理财能力的余地。但也有先生深为太太花钱无度而痛苦。

嫉妒　当你心仪的女人因你产生嫉妒时，千万不要窃喜。嫉妒会将幸福的婚姻毁于一旦。

体谅先生的工作和问题　每位伟人的后面，真的都有一位富理解力、懂得体谅的妻子。如果你选择的女性对你的工作丝毫没有兴趣，那应该会成为结婚的障碍。当你因为工作忙碌而加班时，她也不会理解。先生也无法享受和太太谈论工作的乐趣。我经常去造访先生曾经向我抱怨无法和太太深谈的家庭，发现这些先生都找借口溜出去，和别人畅谈工作。

必须是一位好母亲　虽然也有女人不喜欢小孩，但要找一位向往当母亲的女人并不难。如果你是一位爱孩子的男人，就更需要注意这一点。

爱清洁　大部分女人都很爱清洁，如果你选择的少女在结婚前就不爱干净，那么，在向她求婚前，你应该三思。

良好习惯　女人也和男人一样，有"身藏"不良习惯的权利。基于某些理由，我们总期待女人在这点上能够比男性更加优秀。男人如果发现女生身上有某些习惯，可能会感到忍无可忍，但同样的习惯如果发生在男人身上，就觉得没有太大的关系。绝对不能觉得不良习惯"很帅，很有个性"，否则，将会给结婚生活带来莫大的障碍。

不必打着灯笼找你的另一半。如果你是女人，首先应该将自己培养成真正有价值的人，成为男性想要将你娶回家的女人。如果你是男性，就要让自己具有真正的价值，使女人想要和你结发一辈子。你的问题不再是四处寻找配偶，而是从想要和你结婚的人当中，选择一个条件最好的人。

"无聊的一章。"BB 先读完了，他抬起头望着窗外。雨似乎小了很多。

"老大，你不是很寂寞吗?不妨谈个女朋友试试。"DD 也合上了书稿。

"有你唠叨个没完，我都没清静了，还找什么女朋友?"BB 仰面躺倒在地板上。

"快看，天放晴了。"DD 突然大叫道。BB 赶忙跳起身向窗外一望。果然，在天边一道灿烂的阳光劈开云缝照向大地。两人不约而同地拖起书稿冲向窗口。

忽然，DD 嗅到一种强大的恐怖气味，这和那天在走廊闻到的一样，只是更强烈得多。BB 也感到了那种威胁，两人回头一看，一只黑斑花猫正向他们扑来。BB 想也不想拉住 DD 噌地一下窜进窗台边书架与墙的缝隙中。也就在这一瞬间，猫也扑到跟前。花猫恶狠狠地盯着藏在缝隙中的 DD 与 BB，喵地叫一声就缓

缓走到窗台上趴下，再也一动不动了。

惊魂初定的DD看着花猫的四肢仍在打颤，"老大，他守在窗口可怎么办？"

BB似乎已经平静下来，不过呼吸声依然很重。"怎么办？我们是老鼠，他是猫。我们能怎样！"

这时，天已全部放晴了，不过太阳也已西斜。留给DD与BB的时间越来越少了。

沉默，长时间的沉默。DD与BB谁也不再说话，他们盯着窗户的眼睛都已酸疼，阳光正一缕缕地消失在西方。窗台上的花猫正得意地打着呼噜，似乎在宣判DD与BB失败者的命运。

BB突然把书稿塞到DD手里，"我来掉开他，你把书稿带出去。"

"不，我来……"DD还想挣抢，可BB已经义无反顾地冲出墙角。花猫被突如其来的变化搞懵了，但他很快愤怒地扑向BB。DD也不再犹豫，用他做老鼠以来最迅猛的动作扑向玻璃窗。

哗啦！玻璃碎了，DD与书稿飞了出去……

花猫巨大的黑影也向BB压了下来……

"王子回来了！王子回来啦！"全国上下沸腾，像是过圣诞一样狂欢到处可见。

哈利王子站在王宫的草坪前与国王紧紧拥抱在一起，围观的人群一片欢呼。

麦克·伦特也在其中，他也在为王子欢呼。他心中也在不断地说："BB，祝你万事如意！"

一个阳光灿烂的早晨，哈利王子重回到他的卧房，他望着窗外很好的阳光，忍不住想起他的朋友DD，噢不，麦克·伦特——老麦克。

门铃忽然响了，一名侍从递上一包邮件，邮件的寄出人竟是麦克·伦特。

哈利赶忙打开邮件，里面却是一份书稿。

"最后一章的书稿！"

第十四章　大结局

章名：你的婚姻生活也可以幸福美满

结婚生活的成功，代表你具有指挥地球上最伟大制度之一的指导能力。

但是，并不等于在婚姻生活中要承受千辛万苦。如果准备步入礼堂的情侣相互发誓为了使婚姻生活更加幸福，彼此愿意遵守一定的规则，努力避免冲突的发生，那么，结婚生活没有任何可以令人不安的因素存在，随着"婚龄"的增长，两个人之间的关系也会越来越紧密。

本章的前半部分是为准备踏入婚姻生活的人所准备的。然后，是给已婚者的忠告，最后，向大家介绍维持幸福的婚姻生活的十戒。

为什么婚姻会失败

无论男女，当听到对方的名字时，心跳就会加速，脸上泛起红晕，彼此难分难舍，晚上一直梦见彼此相爱或是求婚的场面。这段婚约时代是最接近地上天国的时期。

在这段受到众人祝福的时期，彼此心有灵犀一点通，彼此之间不存在任何的问题，每个人都相信这种生活会永远持续下去。

但是，统计发现，结婚前的这段天堂般的日子往往是许多婚姻中的陷阱，只不过是彼此的错觉而已。有四分之一的婚姻以离婚或分居告终。其余的四分三也在不断摸索改变自己婚姻状态的方法。在结婚典礼结束后，女性发现和自己结婚的那位富有魅力的白马王子，竟然是如此平凡的男人。男人也会发现自己的太太并不是自己想像中的天使。多么悲哀! 难道结婚真的是爱情的坟墓?其实不然。结婚的制度本身并没有问题，而是踏入婚姻者的态度有问题。

如果结婚能够建立在以下的基础上，一、彼此正确的爱，二、对结婚的义务和责任有正确的了解，以及彼此下定决心经营成功的婚姻生活，那么，结婚不仅不再是恋爱的坟墓，而是开启幸福生活的大门。

本章所介绍的内绍的内容绝非不可理喻的魔术，其中包含了能够彼此"白头偕老"所不可或缺的、必须遵守的简单原则。

准备进入婚姻生活这种神圣的束缚的你，应该仔细地阅读本章，并且边读边思考。然后，和你的另一半谈论这个问题。然后，相互立下誓言，走向幸福之路。

对新娘说的话

提起新娘，大家一定会想起披着婚纱，在结婚进行曲的乐曲下走上红地毯的女性。结婚是神圣的象征，从"我现在宣布你们两个人成为夫妻"的那一刻起，就代表你们即将展开幸福的旅程。如果在思考从友情提升至结婚阶段的问题时，首先必须思考"提升"这个词汇的意义。在《韦伯斯特字典》中，对"提升"的解释为"达到最高点。"无论任何事，一旦到达了最高顶，接踵而来的就只有走下坡的份了。然而，正确的婚姻不应该是到达顶点，而应该是彼此的喜悦和理解的出发点。随着结婚年龄增加，夫妻间的结合更加紧密，彼此的爱会使彼此更加"心心相印"，就像是树干支持着树枝一样。生儿育女后，不仅不会认为是困难和责任的增加，相反地，会更加感谢婚姻生活的美好。

我有一位女性朋友曾经向我吐露，她一直找不到结婚的对象。虽然她很想结婚，但却丝毫没有进展。以肉体条件而论，她的确魅力无穷，穿着也很有品味，教育和教养也无懈可击。然而，真正的她却并不讨人喜欢。她很会嫉妒，爱吃醋，自私、自恋。而且，个性也很不好。

于是，我问她，"如果你是男人，你会想要和像自己一样的人结婚吗?"她沉思片刻，终于红着脸说"应该不会吧"。于是，我就建议她，与其急着找人结婚，还不如先培养自己成为好男人想要娶你回家的女人。她遵从了我的忠告，不久之后，在她生命中，出现了一位非常富有魅力的男士，并且向她求婚。

有些女孩子——或许你也是其中的一个——如果知道她们的男朋友是怎么想她的，一定会大惊失色。现在，我所说的话就是

要让你吓一跳。在了解别人是怎么看自己以前，先扪心自问一下，"我自己是怎么看我自己的？"回答这个问题时，不要太随便，否则你的答案就会缺乏事实基础，反而染上欲望的色彩。应该深深地注意自己的内在，认识一下你的特长、你的性格、你的宽容和你的理解力。如果你发现的自我值得自己喜欢，那么，完全不必在意别人如何看待你，因为，他们必定喜欢你无疑。

宽容与理解力

以下谈论的是两项有价值的事物。其中之一是宽容。人们之所以会找别人麻烦、说别人坏话，往往是因为缺乏宽容。当然，也会破坏一桩原本可以幸福美满的婚姻。当我们彼此深爱对方时，任何事都可以"无所谓"，正所谓"情人眼中出西施"，沉浸在爱河的人们会将对方的缺点也视为优点。一旦结了婚，取下了玫瑰色的眼镜，就必须面对配偶真实的一面。这时，缺点不再美好，也就会直截了当地指责对方的缺点。但是，你必须了解，你并非圣贤，你先生也不是完人。与其热衷于寻找对方的不是，还不如努力改正自己身上的缺点。你的行为往往会对另一半造成刺激，也可以成为他的榜样。

理解对夫妻生活也十分重要。所谓理解，就是了解人们之所以会采取这些行动的理由，如此一来，不仅不会批评他人，反而会以同情的观点理解对方的行为。

关于个性

以下，我们将讨论个性的问题。当你遇到一个与你个性完全相同的人，你是否会喜欢他？如果你的回答是"是"，那么，你不必为自己的个性担心。但如果仔细想一想，当你遇到自己不喜欢的事时，就会立刻将心情写在脸上的话，那么，必须稍微改变一下这种个性，才能迎接幸福的婚姻生活。心情不好是人类的敌人。对健康也有严重的危害，众所周知，生气是身体的毒药。心情不好对美容造成的危害是连化妆品都无法掩饰的，眼睛和嘴边会出现冷漠、僵硬的表情，声音中充满冷漠，表情也变得令人讨厌。而且，心情不好会失去你最重要的人的尊敬和爱。

不必对保持清洁的必要性长篇大论。当你愉快地、优雅地表现出你的女人味时，就能够获得你所爱的人的赞赏。当结婚后，之所以会产生幻灭感，在本章稍前已经有了详细的阐述。

对新郎说的话

或许，大家会认为新郎理所当然应该是结婚制度的主人，当然必须比新娘更早考虑这个问题。但在这个世界上，都讲究"女士优先"，所以，就将这节内容放在"对新娘说的话"之后，想必新郎对此也不会提出异议。

任何组织、任何城市或国家都需要有指导者。否则，必定会天下大乱。结婚是一种共同生活，在本质上是一种制度，也当然需要有指导者的存在，而先生当然是承担起这项重要职责的不二人选。

这时，当然也必须针对结婚制度的特质、权利和义务加以思考。

一位优秀的指导者必须真心诚意地向被指导者奉献，才能够赢得被指导者的协助、尊敬和爱情。这就好像是制造汽车或

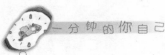

洗衣机的厂商一样，也同样适用于婚姻生活。如果以专制的态度强迫对方接受自己的意见，当然不可能获得和谐、幸福的婚姻生活，也当然会导致婚姻关系的破裂。

大部分人都希望自己能够掌握权利。当接受"丈夫"的工作时，其实是接受了这个世上最重要的工作之一。能够将婚姻生活推向成功者，证明了当事人具备了指导世上最伟大的制度的指导能力。在神和众面前发誓相爱的两个人的幸福，完全掌握在"丈夫"的手中。无论好坏，对家人、邻居的影响也完全取决于"丈夫"。想要做一位好丈夫，必须具备高度的自制力。当家庭中无法如愿获得应有的幸福时，不要去指责自己的太太，应该反省自己的指导在哪里出了差错。不要逃避责任，努力找出存在于自己内部的缺点。必须认识到，真正的强悍在于对依靠自己生活的人温柔和亲切。

根据我的研究发现，在商场上发挥着巨大力量的人，在家庭中往往十分温柔、亲切。越是在商业社会中的下层人士，越容易成为在家庭中挥拳抡棒的暴君。这些人不敢对外人主张自己的权利，为了显示自己也可以自由地使唤他人，就对妻儿和家人动粗，以满足自己的自恋。

博爱家安德鲁·卡内基曾经说过，自己不会浪费时间去帮助跛脚的狗翻越墙壁，其实，他的意思是说不会将时间浪费在自己不努力进取的人身上。你能够持续阅读本书，就证明你真心想要令你的婚姻成功。我当然乐意帮助你。

献给各位已婚者

首先，各位必须仔细地阅读十戒的内容。并且认真地要求你的新娘——或未来的新娘。我希望除了新娘、新郎以外，已婚者也应该认真地阅读十戒的内容。

遵守十戒的原则的夫妻，一定能够过着幸福美满的生活，相信你也会对此表示赞同。同时，你会立刻承认以往的过失，也了解如何加以纠正的方法。

所以，身为人夫、人妻者，应该立刻仔细地阅读十戒，并且在往后的六十天内，遵守其中的每一条。你将获得至上的幸福，无论遇到任何情况，都不会想要再回到以往的生活。除此以外，你还要在誓言上签下自己的名字，就好像我强制要求新娘、新郎所做的一样。一旦签下了自己的名字，将更有助于你坚定自己的决定。

迎接幸福婚姻生活的十戒

一、彼此向对方推销自己

在结婚前，你努力给对方留下好印象。结婚后，仍然要持续给对方留下好印象。

二、付出比接受更令人感到喜悦

付出时，不应该期待对方有所回报。付出本身就是回报。幸福来自给予他人幸福。

三、婚姻不应该破坏个性

进入婚姻生活是彼此缔结协助关系，并非某一个人的个性归另一人所有。套在一个人脖子上的绳索终将对他的脖子造成伤害。

四、不要对配偶的私事追根究底

口袋、皮包、书信和化妆台的抽屉属于所有者的私物。怀疑会导致彼此失和，最终将导致不幸的结果。

五、不要将彼此之间的问题带上床

互道"晚安"应该是每个家庭必须遵守的礼仪。如此可以预防小小的意见冲突发展为更深的芥蒂。

六、每天相互称赞

训练自己不要光看配偶的缺点，学会每天由衷地称赞对方。这项劝戒是维持婚姻生活的关键中的关键。

七、不要让你的家庭中有嫉妒的存在

当家庭中存在嫉妒时，爱就会消失。嫉妒和爱水火不相容。越信赖配偶，你的信赖就可以获得越大的回报。

八、当因某种情况而使彼此不得不两地居住时，就要充满爱意地写情书给对方夫妻结婚数年后，偶尔提笔写几封情书，将有助于点燃浪漫的火花。

九、在预算范围内管理家庭

金钱上的问题最容易扰乱家庭的协调。所以，家计一定要健全。

如果收入不多，就必须减少开支，尽可能存点钱。夫妻之间应该宽容，但生活应该节俭。

十、善待姻亲

结婚是两个家庭的结合，如果你能够对姻亲表示爱和尊敬，你的另一半也会同样善待你的家人。

两人的誓言

我们对自己、对彼此发誓，从今以后，将竭尽所有能力，贯彻能够为我们带来幸福婚姻生活的十戒。如果某一天，某一方或共同有违反该十戒的行为，我们保证将投注更多的努力，以遵守十戒的内容。如果其中某一个人以往曾经犯过错，就应该保证不再重蹈覆辙，另一方面也应该真心原谅对方，不翻旧账。我们彼此真心相爱，真心希望拥有理想的婚姻生活。真正的幸福在于给予对方幸福，为了使其他夫妻也能信服十戒，迎接幸福的婚姻生活，我们将竭尽全力成为他们的榜样。

新娘(或太太)

新郎(或先生)

日期

　　哈利王子读完书稿，不由笑了。"这老家伙这么急着我找老婆，你想甩掉我?没门!"

　　"我知道，BB是甩不掉的。"门被推开了，麦克·伦特出现在王子面前。

　　故事到这里应该结束了。不过真这么结束了，一定有人要砸我家玻璃了。那天到底发生了什么?

　　DD与书稿飞出窗外的同时，BB意识到自己已经躲不开花猫的攻击了。他并没什么遗憾，他只是觉得太累了。于是他合上了那两只鼠目准备享受死亡。

　　这段时间似乎很长，一切都停止了运动。BB脑子里过去发生的事情一件件地从他眼前飘过。喜怒哀乐在他脸上瞬息完成。忽然一样毛茸茸的东西落在他手上。这让他不由睁眼一看，"猫!"BB一甩手，那只花猫"砰"地摔在地上，它委屈地叫了一声便窜走了。

发生了什么?BB站了起来，正看见窗外一个三十多岁的男人也从地下爬了起来，两个人目光立刻撞在了一起。

"DD?! "

"BB?! "

这就是结局，阳光照向书稿一刹那，他们又恢复了人形。

图书在版编目(CIP)数据

一分钟的你自己 /(美)斯宾塞著：王岩译.- 延吉：
延边人民出版社，2002.3
斯宾塞经典系列
ISBN 7-80648-735-2

Ⅰ.一… Ⅱ.①斯… ②王… Ⅲ.家庭管理：财务管理-
家庭教育：青少年教育 Ⅳ.TS976.15 G78

中国版本图书馆 CIP 数据核字(2002)第 012363 号

责任编辑：张光朝

斯宾塞经典系列

一分钟的你自己

One Minute Yourself

斯宾塞·约翰逊　著

出版：延边人民出版社	**发行**：延边人民出版社
印刷：北京鑫富华彩色印刷有限公司	**印数**：1-10000 册
850 × 1168 毫米　32 开	4 插页 5 印张 100 千字
2002 年 4 月第 1 版	2002 年 4 月第 1 次印刷

ISBN 7-80648-735-2 /C · 49　　　定价：16.80 元